Des bleus à l'âme

FRANÇOISE SAGAN | *ŒUVRES*

Françoise Sagan

Des bleus à l'âme

Éditions J'ai lu

A Charlotte Aillaud.

J'ai dit que l'âme n'est pas plus que le corps,
Et j'ai dit que le corps n'est pas plus que l'âme,
Et que rien, pas même Dieu, n'est plus grand aux
  yeux de chacun que soi-même,
Et que quiconque fait deux cents mètres sans
  amour va à ses propres funérailles vêtu de son
  linceul.

W. Whitman.

Mars 71

J'aurais aimé écrire : « Sébastien montait les marches quatre à quatre, en sifflant et en soufflant un peu. » Cela m'aurait amusée de reprendre maintenant les personnages d'il y a dix ans : Sébastien et sa sœur Eléonore, personnages de théâtre, bien sûr, mais d'un théâtre gai, le mien, et de les montrer fauchés, toujours gais, cyniques et pudiques, essayant en vain de se « refaire » à la Maurice Sachs, dans un Paris désolé de sa propre médiocrité. Malheureusement, la médiocrité de Paris, ou la mienne, est devenue plus forte que mes envies folasses, et j'essaye péniblement, aujourd'hui, de me rappeler quand et comment « cela » a commencé. « Cela » étant ce désaveu, cet ennui, ce profil détourné que m'inspire une existence qui, jusqu'ici, et pour de fort bonnes raisons, m'avait toujours séduite. Plus. Je crois que ce fut en 69 et je ne crois pas, hélas, que les événements de 68, leur élan et leur échec, y soient pour grand-chose. Ni l'âge : j'ai trente-cinq ans, de bonnes dents, et si quelqu'un me plaît, généralement, cela marche encore. Seulement, je n'en ai plus envie. J'aimerais aimer et même souffrir et même trembler au téléphone. Ou mettre un disque dix fois de suite, et respirer le matin, en me réveillant, cet air de bénédiction naturelle qui m'était familier. « On m'a ôté le goût de l'eau et puis celui de la conquête. » C'est un disque de Brel, je crois. Mais en tout cas, cela ne marche plus et je ne sais même pas si je vais montrer ces pages à mon éditeur. Ce n'est pas de la littérature, ce n'est pas une vraie confession, c'est quelqu'une qui tape à la machine parce qu'elle a peur d'elle-même et de la machine et des matins et des soirs, etc. Et des autres. Ce n'est pas beau, la peur, c'est même honteux et je ne la connaissais pas. Voilà tout. Mais ce « tout » est terrifiant.

Je ne suis pas seule dans mon cas, en ce printemps 71 à Paris. Je n'entends, je ne vois que des gens indécis, effrayés. Peut-être la mort rôde-t-elle autour de nous et nous la pressentons, et nous sommes malheureux pour rien. Car enfin, ce n'est pas là le problème. La mort — je ne parle pas de la maladie — la mort, je la vois de velours, gantée, noire et, en tout cas, irrémédiable, absolue. Or, l'absolu me manque, comme à quinze ans. Et malheureusement, j'ai connu assez des plaisirs de la vie pour que cette notion d'absolu ne puisse relever chez moi que d'une marche arrière, d'une faiblesse — que je m'échine à vouloir provisoire. Par orgueil, sans doute, et encore une fois, par effroi. Ma mort, c'est le moindre mal.

Mais l'épouvante des choses : cette violence perpétuelle, partout, ces malentendus, cette colère, justifiée si souvent, cette solitude, cette impression d'accélération vers un désastre. Ces jeunes gens qui déjà ne supportent plus en eux — tellement on la leur a jetée à la tête — cette idée de perdre un jour leur jeunesse, et ces gens « mûrs » qui, eux, refusent de vieillir de toutes leurs forces depuis trois ans et se débattent. Et les femmes qui veulent être égales aux hommes, et les bons arguments, la bonne foi de certains et le grotesque inexorable des autres, humains quand même et soumis au même Dieu, qu'ils veulent renier, le seul : le Temps. Mais qui lit Proust ?

6

Et le nouveau langage, et l'incommunicabilité, et le lait de la tendresse humaine, parfois resurgi. Rare. Et parfois un visage admirable. Et la folle vie. Je l'ai toujours considérée comme une bête féroce, follement maternelle. Elle est Bloody Mamma et Jocaste et Léa, et toujours, bien sûr, à la fin : Médée. Nous jetant là, sur cette planète qui ne semble même plus — oh, dernier affront — être la seule; et quand je dis « affront », je pense « affront », car la seule vie, la seule pensée, la seule musique, la seule histoire était à nous, après tout. Et s'il y en avait d'autres? Et si notre mère, la vie, cette menteuse adultère, avait d'autres enfants, ailleurs? Quand « l'homme », celui d'Apollo, se jette dans l'espace, ce n'est pas pour trouver son frère, j'en suis persuadée. C'est pour vérifier qu'il n'en a pas, et que ces malheureux soixante-dix ans qu'il a à vivre sont à lui seul (ceux qu'elle lui a donnés). Il suffit d'ailleurs de voir la tête « présumée » des Martiens. Pourquoi seraient-ils laids et petits, les Martiens? Parce que nous sommes jaloux. Et puis, « il n'y a pas d'herbe sur la lune, si? » Non, « elle est à nous, l'herbe ». Et toute cette bonne terre si nationaliste, si épouvantée, se rassure et s'entre-déchire aussitôt gaiement, s'arrachant l'herbe de la bouche, ou se l'arrosant de sang, en un même mouvement également absurde.

Et tous ces crétins qui s'occupent du « peuple », qui parlent du « peuple », avec quelle touchante maladresse dans leur redingote de gauche, épuisante à la fin dans ce souci qu'elle nous donne, à nous qui haïssons la droite, de les défendre, d'empêcher qu'un fou furieux (ou un calme) n'en fasse vraiment — de cette misérable redingote — une loque impossible à mettre. Le peuple.

Ne pas savoir que ce mot même est injurieux, qu'il y a un homme plus un homme plus une femme plus un enfant plus un homme, etc., que chacun est distinct en tout, y compris dans ses revendications profondes et que, généralement, faute de moyens, ce chacun ne pourra ni l'entendre ni le voir ni le lire. Sartre, en grimpant sur son tonneau, maladroitement, honnêtement, avait compris, peut-être. Et Diogène, à l'intérieur du sien, parlant à chacun. Ce sont ces gens-là, qui sont tendres et ont l'intelligence de leur tendresse, que l'on couvre de ridicule. Au demeurant, ils s'en moquent. C'est une chose superbe, le ridicule, « être ridiculisé », pour un esprit aiguisé, à notre époque. Superbe et inquiétante — parce que superbe. Ni Stendhal ni Balzac ne l'auraient supportée. (Dans leur œuvre, bien sûr.) Le seul prophète en cette matière fut Dostoïevski, pour moi.

Je parlais donc de la vie au lieu de parler de Sébastien Van Milhem, aristocrate suédois fort gai et fort désespéré. Mais qu'en sais-je? Il peut revenir et je parlerai de ses affaires. C'est mon métier, j'écris et j'aime ça et j'en vis fort bien. A mon sens, la vie, avec son côté animal-femelle, attrape certains de ses petits par le cou pour les promener, comme font les chattes avisées et tendres (ce qui vous promet une existence assez confortable). Ou alors par les reins. Et dans cette position déséquilibrée, cherchant la chute comme un repos, se trouvent nombre de nos contemporains. Ou par une patte, et oublions les fous d'amour, les pris au piège, les grands malades et quelques poètes. Oublions-les. C'est d'ailleurs idiot, je n'oublierai jamais la poésie; je n'ai jamais aimé que ça et je n'ai jamais su en faire.

Et cependant j'aurais vite fait même d'évoquer l'odeur de l'herbe et de jeter un panier de ces herbes séchées, odorantes, dans ce roman cynique, au détour d'un chapitre. Maintenant que j'en suis réduite à cela : nommer. Car l'odeur de l'herbe, quand je m'y allonge, que j'y pose mon visage, je suis à présent obligée de me la nommer : voici Madame l'odeur de l'herbe. Et la mer, cette folle mer, je dois aussi la présenter à mon corps : c'est ta grande amie, la mer. Il la reconnaît, mais ne bondit pas vers elle. Je suis une mère douce qui promène à Vichy un enfant hargneux : son propre corps. « Dis bonjour à Mme Dupont qui était si gentille lors de sa cure, l'année dernière (ou il y a dix ans), avec toi. » Et l'enfant hargneux refuse. Jusqu'à l'odeur de l'amour, parfois, et de ses sortilèges qu'il refuse. Et mes yeux se détournent, horrifiés, de ces belles réclames en couleur dans les journaux, où des mers transparentes se frottent à des rochers rouges, où des plages s'alignent, impeccables, pour mille trois cent cinquante francs aller et retour. « Oh, qu'ils y aillent, soupire mon corps fasciste, qu'ils y aillent tous ensemble, qu'ils aillent bronzer et s'amuser dans ces endroits qui furent si souvent ma raison de vivre, mon amour, ma proie. Qu'ils les gardent, même. Vive les Clubs Méditerranée. A bas la mer du même nom! Qu'elle s'ébatte avec ses jeunes cadres, ses vieux cadres, ses campeurs, la pauvre folle! Moi, je ne la chanterai plus, je l'oublierai; et si, par hasard, j'y passe, un jour convenable, en avril, par exemple, j'y tremperai un pied ou une main distraite, frileuse. Elle et moi, qui tant de fois... » Quelle tristesse, c'est sans doute cela, vieillir : ne plus reconnaître les siens. Et que dirais-je de ces nombreux corps qui ont suivi le mien, bord à bord, depuis quinze ans, vers lesquels je revenai dormir ou m'épanouir de temps en temps et que je fuis maintenant, comme si j'étais brusquement réinstallée en ce corps dont parle Eluard : « Le corps maigre et vaniteux, la bête de mon enfance, ce corps éperdu d'oiseau » ?

2

Sébastien montait quatre à quatre, en sifflant et en soufflant un peu. Le sixième étage était devenu un peu haut pour lui, quand même. Ce n'était pas son poids, non, qui le gênait, mais dix mille cigarettes, plus ou moins récentes, et dix mille verres de boissons diverses dont la variété même le faisait rire. En fait, il aurait eu tendance à distinguer ces dernières années d'après ses boissons favorites plutôt que d'après ses femmes. Il y avait eu l'année « Negroni », qui correspondait si on voulait à l'année Hedda, et l'année « Dry » qui correspondait, quoique plus longue, à Mariella Della. Et l'année « Au Rhum », au Brésil, avec Anne-Marie. Qu'il s'était amusé, mon Dieu! Lui qui, en fin de compte, n'était ni coureur ni même alcoolique, mais que la jonction d'une femme et d'un verre ravissait. De toute façon, Eléonore, sa sœur, régnait toujours sur son existence, sa sœur, et elle sans alcool ou avec tous les alcools. De toute manière, la vie sans elle, l'alcool sans elle n'étaient que de l'eau fade. Bien commode, en vérité, d'être à ce point délimité dans la vie par quelqu'un qui — quoi qu'elle en dise — était autant son esclave que lui-même. De temps en temps, elle s'agaçait, se mariait, disparaissait et, après quelques mois confus, quelques démêlés qu'elle ne lui racontait que longtemps après — mais avec quels fous rires — elle lui revenait. Riche ou pauvre, épuisée ou éclatante de santé, mélancolique ou gaie, mais toujours la folle, l'incomparable, la belle Eléonore, sa sœur, lui revenait.

Cette fois-là, ils arrivaient ensemble d'un long séjour en Scandinavie, chez un mari d'Eléonore, et leur situation se présentait mal. C'était par miracle qu'un ancien ami de Sébastien leur avait prêté ces deux pièces, rue de Fleurus. Et ils ne devaient pas avoir grand-chose en banque, ni dans leurs poches. Eléonore lui confierait vite ses deux ou trois merveilleux bijoux, car elle ne tenait à rien, mais qu'en faire? De plus, c'était un atout pour une femme.

Sébastien sonna à leur porte et elle lui ouvrit aussitôt, en robe de chambre.

— Oh, le pauvre garçon, dit-elle en le soutenant jusqu'à un fauteuil branlant, oh, le pauvre garçon qui sifflote dans l'escalier, à son âge... Je t'écoutais monter, j'avais peur que tu ne t'écroules.

Il porta la main à son cœur, l'air accablé.

— Je vieillis, dit-il.

— Et moi (elle se mit à rire), quand je m'engage dans cet escalier, c'est Isadora Duncan, je volette. En haut, c'est Fats Domino. Tu as trouvé quelqu'un?

Quelqu'un était ce quelqu'un providentiel qui, eu égard à leur charme, leur drôlerie et leur chance, allait entretenir quelque temps le frère et la sœur. Ce personnage n'avait jamais failli dans leur existence et c'était généralement Sébastien qui le découvrait, quand Eléonore, comme c'était le cas, avait la paresse de sortir.

— Rien, dit Sébastien. Arturo est en Argentine, les Villavers en vacances; quant à Nicolas, tu me croiras si tu veux, il travaille.

Une expression de doute et de légère horreur parut dans les yeux d'Eléonore. (Le travail n'avait jamais été le fort des Van Milhem.)

— Quelle ville, dit-elle. Remarque, j'ai une bonne nouvelle, je peux m'habiller n'importe comment. Foin des grands couturiers : un rideau, des pantalons, mes bijoux les grands soirs, tout va. J'ai regardé dans la rue. A condition que je n'oublie pas que j'ai trente-neuf ans, je suis sauvée... Et encore, je ne serai pas la seule...

— Tant mieux, dit Sébastien. Je n'en ai jamais douté.

Il avait raison : avec ses immenses jambes, son corps mince et musclé, son visage si bien dessiné, les pommettes hautes, les yeux clairs et remontés vers les tempes, Eléonore restait superbe. Lui, il avait toujours son expression de sceptique tendre, installée sur la même ossature de visage que celle de sa sœur. Non, ils se débrouilleraient. Il s'étira.

— L'ennui, c'est qu'il semble que ce soit les hommes qui manquent, ici. Il va falloir que je paye de ma personne, peut-être même avant toi.

— C'est bien fait, dit-elle. Comment le sais-tu?

— Par Nicolas. Il paraît que beaucoup d'hommes, excédés, font l'amour entre eux et que des femmes hurlantes ravagent la ville pour trouver un gibier. Et quand elles se taisent, les étudiants les remplacent. Ah, le parasitisme n'est plus ce qu'il était.

— Pas de gros mots. Regarde comme c'est beau, Paris.

Il s'accouda à la fenêtre, près d'elle. Il y avait une lumière rose sur le mur d'en face et des reflets étincelants sur tous les toits qui les entouraient. Une odeur de terre fraîche venait du Luxembourg, surmontant les vapeurs d'essence. Il se mit à rire :

— Si tu t'habilles dans un rideau, je peux laisser pousser mes cheveux?

— Dépêche-toi, alors. Leur chute est proche.

Et il lui donna un petit coup de pied dans les jambes. Il n'avait plus aucun souci.

Peut-être, au fond, devrais-je faire une pièce de l'histoire de mes deux coucous. Cela ne ressemble guère à un début de roman. Peut-être aurais-je dû — comment dit-on? — « camper » mes personnages, le décor. Le décor, surtout, est bien succinct. Mais les décors m'assomment, sauf chez quelques écrivains qui y prennent un plaisir si méticuleux, si savoureux que je me sens sourire pour eux de bonheur. Là, évidemment, à me relire : six étages, un fauteuil branlant, des toits (logique, cela, au sixième) c'est peu. En fait, la condition modeste et précaire de mes héros me semble suffisamment décrite par ces six étages. J'ai toujours détesté les étages : monter m'essouffle et descendre me donne le vertige. (J'ai renoncé à quelqu'un pour cinq étages. Il ne l'a jamais su.) En prêtant à mes Van Milhem mes dégoûts personnels, je les laisse dans un appartement vide, tant pis. Ils sont gais, c'est le meilleur des décors. D'autant que maintenant, il va falloir que je trouve quelqu'un pour les nourrir et que ce quelqu'un ne soit pas ridiculement conventionnel. Je ne sais pas où le trouver : les gens riches hurlent toujours qu'ils n'ont pas d'argent, les gens pauvres n'en ont pas et le disent plus doucement; et puis les impôts, etc. Il va falloir que je leur trouve un étranger. Voilà où en est arrivée la France en 1971. Je vais être obligée, par souci de vraisemblance, de faire entretenir mes charmants Van Milhem par un étranger. De préférence domicilié en Suisse. C'est très désagréable pour mon orgueil national. D'autre part, je ne peux pas faire travailler Eléonore chez Marie-Martine, ou dans une maison de prêt-à-porter. Ce serait comme de lancer Sébastien dans les finances ou la Bourse. Ils en mourraient tous deux. Contrairement à ce que l'on croit, la paresse est une drogue aussi violente que le travail. Si l'on arrête un grand travailleur, il semble qu'il s'étiole, se déprime, maigrit, etc. Mais un paresseux, un vrai, après quelques semaines de travail, tombe aussi en état de « manque ». Il s'étiole, se déprime, maigrit, etc. Je ne vais pas faire mourir Sébastien et Eléonore au travail. On m'a assez reproché mon petit monde oisif et blasé, et baladi et balada; ce n'est pas une raison pour immoler sur l'autel de la critique mes deux Suédois fatigués. Je verrai plus tard, avec d'autres, dans un autre livre (si Dieu et mon éditeur me prêtent vie). Un jour, je parlerai de feuilles de paye, de voitures à crédit, de télévision, et des gens normaux. S'il en reste. Avec tout ce qu'on leur inflige. Je connais des gens qui ont des voitures comme des petites boîtes métalliques et que les embouteillages au milieu de cette bonne vieille chère pollution réjouissent secrètement. Ils mettent une heure-une heure et demie entre leur bureau et leur maison et ils sont contents. Parce que, pendant une heure, ils sont *seuls* dans leur petite boîte. Personne ne peut les joindre, leur parler, les « agresser », comme disent les psychiatres. Faites avouer cela à un homme ou à une femme qui travaille... La voiture abri, igloo, sein maternel, etc. Oui, ce n'est pas, à mon sens, un instrument d'agression que les hommes nettoient le dimanche avec de petits chiffons spéciaux, c'est leur solitude et leur seul luxe.

Attention à la gaieté. Je me méfie de cette douce euphorie qui, après un dur départ, saisit un écrivain au bout de deux ou trois chapitres et qui lui fait marmonner des choses comme : « Tiens, tiens, la mécanique s'est remise en marche! » — « Tiens, tiens, ça repart! » Phrases modestes de mécanicien, certes, mais parfois suivies de : « Tiens, tiens, je ne serai pas obligé de me tuer. » (Phrase plus lyrique, mais parfois vraie.) C'est ainsi que déraille le créateur, se distinguant, par cette dissonance de ton, de ses camarades de classe, les autres humains. Cette euphorie est dangereuse, car on croit les « bases posées » (toujours ces références à des métiers concrets) et dans ces conditions, pourquoi, après ces grandes peurs, ne pas aller un peu se promener? Surtout si un Deauville désert et inondé de l'oblique et jaune soleil de mars est à côté. Je comprenais, avant-hier, en regardant ces bâtiments noirs, solitaires, sur ce ciel éclatant, cette mer convenablement seule (nous n'avons jamais eu de rapports passionnels, la Manche et moi, pour des raisons de température), je comprenais que tous les jeunes metteurs en scène y aient traîné l'hiver leurs caméras et leurs héros. Je me disais en même temps que je ne pourrais plus jamais supporter au cinéma l'image d'un homme et d'une femme courant sur une plage, pas plus d'ailleurs, que celle de deux personnes (ou douze), quel que soit leur sexe, torse nu dans un lit, le drap rabattu plus ou moins haut. Je le signale tout de suite aux amateurs de polissonnerie : il n'y en aura pas la moindre dans ce roman. Au maximum : « Eléonore ne rentra pas chez elle, ce soir-là. » C'est vrai, à la fin! Qu'ont-ils fait de la folie de la nuit, des mots chuchotés dans le noir, du « secret », cet énorme secret de l'amour physique? Violence, beauté, honneur du plaisir, où êtes-vous? On voit une dame, les yeux fermés, bouger la tête de droite à gauche dans un lit, et le profil, le dos musclé d'un pauvre garçon qui s'agite en cadence, et on attend dans son fauteuil, paisiblement, qu'ils en aient fini. On en vient à envier les gens que cela choque : cela les distrait, au moins. Tous ces paquets, ces tonnes de chair humaine qu'on nous a jetés à la figure ces temps-ci, bronzés, pâles, debout, assis, couchés, quel ennui! Le corps, son plaisir est devenu, lui aussi, un bien de consommation. Les pauvres... Ils croyaient détruire des préjugés ridicules, ils ont abîmé une mythologie superbe. De temps en temps, je manque écrire : « Mais je m'égare », vieille politesse pour le lecteur, mais stupide, ici, puisque mon propos est de m'égarer. D'ailleurs cette histoire d'érotisme à la petite semaine m'a énervée. Je repars voir mes Van Milhem « qui font beaucoup ces choses-là, mais qui n'en parlent jamais ».

3

Le restaurant était très bon. Eléonore avait pris neuf huîtres qui bondissaient encore sous le jus du citron et une sole dorée. Le tout, avec du Pouilly Fuissé très sec. Plus affamé, Sébastien avait attaqué un œuf en gelée et un steak au poivre, un vrai, arrosé de Beaujolais. Il n'y avait pas de vin de Bouzy, ce qu'ils déplorèrent quelques secondes. Contrairement à ses prévisions, Eléonore n'était pas vêtue d'un rideau. Elle avait, par un de ces coups de baguette magique qui n'appartenaient qu'à elle, rencontré dans la rue une vieille amie efficace, laide et dévouée, comme en rêve toute femme, qui l'avait menée chez un ami à elle, maître d'un prêt-à-porter payable « ultérieurement ». Fasciné par Eléonore, il avait de surcroît dessiné quelques robes pour elle, sur elle, agitant le bras négativement à la proposition, parfaitement gasconne d'ailleurs, qu'elle lui faisait d'un chèque. Et c'est ainsi qu'Eléonore, somptueusement habillée, croquait les neuf mille anciens derniers francs de Sébastien — et donc les siens — à la terrasse d'une brasserie, rue Marbeuf.

— Après ce déjeuner et d'après mes calculs, il nous restera deux à trois mille francs, dit Sébastien en plissant les yeux, car il y avait le soleil en face. Tu prends un dessert? Non? Alors, nous pourrons prendre un taxi pour rentrer.

— C'est stupide, dit Eléonore, car si j'avais pris

un millefeuille, le taxi eût été quasi indispensable pour me transporter. La vie est mal faite.

Ils se sourirent. De petites rides apparaissaient bien, maintenant, sur leurs deux visages dans la lumière crue de mars. « Ma vieille, pensa Sébastien, ma vieille, je te tirerai de là. » Et une subite émotion lui gonfla la gorge et le sidéra.

— Il y a trop de poivre sur ton steak, dit Eléonore distraitement, tu en pleures.

Elle avait baissé les yeux. Est-ce qu'elle se rendait compte qu'ils n'étaient que deux bons à rien dans une ville tout à coup étrangère, pressée et indifférente aux charmes, aux sortilèges Van Milhem? Les hommes la regardaient, bien sûr, mais il eût fallu aller chez Maxim's, au Plazza, piaffer et cabrioler. Et son costume à lui n'était pas très frais pour cela. Il but son verre de vin d'un trait.

— Ce soir, dit Eléonore lentement, nous achèterons une boîte de raviolis, j'adore ça. Et, si ça ne t'ennuie pas, si tu sais faire marcher la radio de ton ami, nous écouterons le concert des Champs-Elysées. Il est retransmis. Nous ouvrirons la fenêtre, ce sera superbe.

— Qu'est-ce qu'ils jouent?

— Mahler, Schubert, Strauss. J'ai regardé tout à l'heure. Quel délicieux déjeuner, Sébastien.

Et elle étira ses longs bras, ses longues mains devant elle en signe de bonheur. Un homme, derrière elle, surprit ce geste et Sébastien, amusé, le vit pâlir de désir. Il fixait d'ailleurs sur Eléonore, depuis qu'elle était entrée, un regard très clair, immobile, qui finissait par gêner Sébastien placé de face. Il avait un complet fatigué, une serviette près de lui, une affreuse cravate. Ce devait être un petit employé du quartier, un peu obsédé par les femmes. Mais l'innocence de sa fixité évoquait autre chose. Une folie, peut-être. D'ailleurs, quand ils se levèrent pour sortir, il se leva aussi, comme s'il eût été à la même table, et il jeta sur le visage enfin visible d'Eléonore un regard furtif, enfantin, qui la déconcerta.

— Il n'a pas quitté ta nuque des yeux, dit Sébastien devant le regard étonné de sa sœur. On marche un peu, ou on rentre?

— J'aimerais bien finir ce livre, dit-elle.

Elle disparaissait dans ses livres, parfois des journées entières, et l'amie dévouée avait trouvé, rue de Fleurus même, une librairie de location dont le propriétaire, aussitôt ravi, alimentait les grandes faims livresques d'Eléonore. Elle lisait un peu au hasard, allongée sur le divan ou sur le lit, des heures entières, et Sébastien rentrait, sortait, allait parler avec les gens du tabac ou les gardiens du Luxembourg, s'entraînait à monter méthodiquement les six étages. Cette vie exquise finirait ce soir, après les raviolis et Mahler. Et il en était tranquillement désespéré.

Toujours pas de solution pour les Van Milhem. Pas moyen de trouver de l'argent gai, à Paris, en ce moment, même pour eux. La présence de l'obsédé, que je n'avais pas prévue, m'intrigue un peu. Que vais-je en faire? Eléonore déteste les fous, si mes souvenirs sont bons. En tout cas, je signale à mes fidèles lecteurs que c'est la première fois en dix-huit ans de littérature que je leur offre un menu. Un vrai menu. Des huîtres, du poisson, etc. Et les vins. Et même un prix approximatif. Je finirai par faire des romans touffus et interminables, je le sais. A moi la description d'une maison, l'extérieur, l'intérieur, la couleur des rideaux, le style des meubles (help!), le visage du grand-père, la robe de la jeune fille, l'odeur du grenier, l'ordre pour passer à table, la forme des couverts, des verres, des nappes et, pour finir, une chose comme : « On vit arriver, sur un fond de laurier, cernée de tomates et de poivrons d'un rouge chaud, une carpe morte dont la peau grise, par endroits décollée, accentuait encore la folle blancheur. » C'est peut-être ça, le bonheur pour un écrivain. Finie la

18

petite musique, vive les flonflons! Puisque je parle de petite musique, second avertissement au malheureux et présumé fidèle lecteur : de même qu'il n'y aura pas de polissonnerie dans ce livre, de même il n'y aura aucun élément autobiographique, aucun souvenir drolatique de Saint-Tropez 54, rien sur mon mode de vie, mes amis, etc. Pour deux raisons. La plus importante, à mes yeux, c'est que cela ne regarde que moi. Et que, deuxièmement, si je me lance dans les faits, mon imagination — qui est vraiment la folle du logis — me fera bifurquer, infléchir mon récit vers n'importe quoi qui me fasse rire, moi. Evitant les précisions, je ne risquerai pas de mentir. Tout au plus me tromperai-je dans mes citations. Amen. Mais en toute bonne foi.

Il serait comique, d'ailleurs, que cette bonne foi (la mienne) qui a si souvent découragé les journalistes — et comme je les comprends (les interviews de Dali me comblent de bonheur) — il serait amusant que cette bonne foi, paisible bovidé que je traîne en laisse depuis ma naissance (je parle évidemment des sujets généraux), soit devenue brusquement, entre toutes les muletas qu'on lui secoue au museau : Israël, la Russie, la Pologne, le Nouveau Roman, la Jeunesse, les Pays Arabes, le Communisme, Soljenitsyne, les Américains, le Viêt-nam, etc., que ce malheureux mammifère, donc, incapable de cueillir et d'assimiler l'herbe nécessaire à sa culture et à sa compréhension d'un monde — où, après tout, je traîne, comme tout un chacun — soit devenu ce taureau exaspéré qui me fait écrire ce bizarre livre au petit galop. Insouciant, ce taureau, « le cœur brisé et bronzé à la fois ». Non pas que je cherche à pourfendre mes picadors — ces hommes qui prétendent avoir les clefs et ne les ont pas, les pauvres, tout en s'égosillant à le prétendre. Ce sont mes amis, bien sûr. Mes ennemis, cela fait belle lurette qu'ils crient au loup, au juif, au Noir, etc. Les picadors dont je parle sont ceux qui évoquent encore la colombe démocratie, cette liberté dont ils sont amoureux —

comme moi, d'ailleurs — mais dont je commence à craindre, moi, qu'elle ne préfère laisser ses plumes entre leurs mains enthousiastes et s'envoler, chauve, où elle veut, plutôt que de se poser n'importe où actuellement dans le monde. Quitte à revenir, nostalgique de nos mots tendres, se faire à demi fusiller par ceux qui imitent notre voix. Quand je dis « nous », je parle seulement des pauvres gens qui ne se prennent pas forcément pour des juges ni des experts. Il n'y en a plus beaucoup, je le crains. Revenons à nos Suédois, noyons-les dans la soie, l'or et les mazurkas. Les jerks mal rythmés (d'un pied à l'autre) de nos têtes politiques et pensantes m'exaspèrent. Oublions-les.

4

Le concert avait été très beau, bien qu'Eléonore
eût laissé brûler les raviolis et que Sébastien se sen-
tît un léger malaise de faim qu'il essayait de calmer
à force de cigarettes. La fenêtre était restée ouverte
sur la nuit et Eléonore assise par terre, de biais, de
sorte qu'il ne voyait que ce profil si connu et si
lointain, tranquillement tourné vers la nuit. « La
seule femme à qui j'ai eu envie de demander parfois : à quoi penses-tu? » songea-t-il. La seule aussi
qui ne lui aurait jamais répondu.

Le téléphone sonna et ils sursautèrent. Personne
ne les savait là, dans leur île du sixième, et Sébastien hésita un instant avant de répondre. Puis il
décrocha doucement : c'était la vie qui venait les
rappeler à l'ordre, il le sentait, à temps pour leurs
finances, sans doute, mais trop tôt pour leur état
d'âme. Pourquoi ne se seraient-ils pas tués, là, au
fond, après quarante ans de bons et loyaux services
rendus à l'existence? Il savait que sans être le moins
du monde suicidaire, Eléonore l'eût suivi.

— Allô, dit une voix mâle mais agitée, Robert?
C'est toi?

— Robert Bessy est absent, dit Sébastien poliment.
Il doit rentrer ces jours-ci.

— Mais alors?... dit la voix. Vous?...

Les gens sont devenus bien mal élevés, pensa Sébastien. Il fit un effort.

— Il a eu la gentillesse de me prêter son appartement en son absence.

— Mais alors, vous êtes Sébastien, c'est merveilleux! Robert parle toujours de vous... Ecoutez, je voulais lui demander de venir, on ouvre un club très gai, très chic, ce soir, les Jedelman... Vous connaissez les Jedelman? Ça vous amuserait que je vous emmène?

Sébastien consulta Eléonore du regard. La voix de l'agité retentissait comme dans un haut-parleur.

— J'ignore votre nom, dit Sébastien lentement.

— Gilbert. Gilbert Benoit. Alors, c'est d'accord? Voici l'adresse...

— J'habite rue de Fleurus avec ma sœur, coupa Sébastien. Je pense que nous pourrons être prêts dans une demi-heure, car nous n'irons en aucun cas seuls, sans les connaître, chez M. et Mme...

— Jedelman, balbutia la voix. Mais c'est un club et...

— Jedelman, bien. Voulez-vous être devant la porte dans une demi-heure ou préférez-vous que nous nous rencontrions plus tard?

Eléonore, les yeux brillants, le regardait. Il jouait rudement bien, car ils n'avaient strictement pas de quoi prendre un taxi, une bouteille de Chianti s'étant adjointe comme d'elle-même chez l'épicier à la boîte de raviolis.

— Je serai en bas, dit la voix. Bien sûr. Je n'avais pas pensé...

— A propos, dit Sébastien, je me nomme Sébastien Van Milhem et ma sœur, Eléonore Van Milhem. Je vous dis ceci pour les présentations ultérieures. A tout de suite.

Il raccrocha, éclata de rire. Eléonore riait plus silencieusement, en le regardant.

— Qu'est-ce que c'est, les Jedelman?

— Dieu sait. Les grosses fortunes adorent la limonade, maintenant. C'est à qui aura son club. Que vas-tu mettre?

— Ma robe vert d'eau, je crois. Fais-toi beau, Sébastien, tu auras peut-être à payer de ta personne plus que tu ne le pensais. (Il la regarda.) D'après les photos de ma chambre et la voix de Gilbert, il semble que ton gentil ami, notre hôte, soit parfaitement pédéraste...

— Nom d'un chien! dit Sébastien d'une voix blanche, c'est vrai, je l'avais complètement oublié. Ça commence bien.

Deux heures plus tard, ils étaient assis à une grande table bruyante, le genou de Sébastien sollicité de temps en temps par celui de la riche Mme Jedelman qui devait courir sur un âge certain. Mais enfin, elle était massée, douchée, laquée, manucurée, et Sébastien pensait avec philosophie qu'il en avait vu d'autres. Éléonore, en revanche, semblait un peu excédée par son voisin. Après une arrivée plus que remarquée (que faisaient là, qui étaient ces deux étrangers blonds, si grands et si lointains, de surcroît frère et sœur?), pilotés par un Gilbert enchanté de sa « trouvaille », ils s'étaient retrouvés à la table d'honneur. M. Jedelman, apparemment las des idées drôles de sa femme, avait dû être raccompagné, ivre mort, dès 11 heures du soir. Deux vedettes de cinéma, un chanteur, une chroniqueuse célèbre et un inconnu total formaient la table de Mme Jedelman, tandis que les photographes s'affairaient comme des phalènes. Gilbert essayait de répondre aux questions sur les Van Milhem, mais, comme il n'en savait strictement rien, sinon que Robert avait été toute sa vie l'admirateur inconditionnel de Sébastien, il se réfugiait dans une attitude de mystère, voire de sournoiserie, qui énervait tout le monde.

— Mais non, monsieur, dit subitement la voix d'Éléonore, et Sébastien leva l'oreille, non, je n'ai pas vu tous ces films.

— Mais, ce n'est pas possible, vous ne savez pas qui sont Bonnie and Clyde?

Le cinéphile enragé prenait la table à témoin.

— Elle prétend...

— Madame, coupa Eléonore, comme rêveusement, madame prétend.

— Madame prétend, reprit le malheureux en riant, qu'elle n'a jamais entendu parler de Bonnie and Clyde.

— J'ai vécu dix ans en Suède, monsieur, dans un château bloqué par la neige, je vous l'ai déjà dit. Et mon mari n'avait pas prévu de salle de projection « at home », comme vous dites. Et nous ne mettions pas le pied à Stockholm. Voilà tout.

Il y eut un silence soudain car la voix d'Eléonore, sans monter, était devenue plus que coupante.

— Tu t'énerves, mon ange, dit Sébastien.

— Il est lassant de répéter mille fois la même chose et d'entendre mille fois la même chose.

— Pardon, mille pardons, dit le cinéphile sarcastique, mais qui nous vaut alors ce retour des glaces?

— Le château est vendu et mon ex-mari en prison, dit Eléonore, tranquillement. Pour meurtres. Nous faisions notre cinéma nous-mêmes. Sébastien, je suis lasse.

Sébastien était déjà debout près d'elle, souriant. Ils remercièrent Mme Jedelman, ce qui ajouta encore à sa stupeur, et sortirent, dans un silence total. Sébastien riait tellement dans l'escalier du club qu'il pouvait à peine en monter les marches. Quelqu'un leur courut après : c'était le chanteur. Il avait une bonne tête ronde, ouverte.

— Est-ce que je peux vous raccompagner? dit-il.

Eléonore acquiesça, s'assit sans le regarder dans une énorme voiture américaine et donna leur adresse. Puis le fou rire de Sébastien la gagna, puis il gagna le chanteur, et ils cédèrent aux supplications de ce dernier et allèrent fêter ça ailleurs. A l'aube, il les raccompagna ivre mort :

— Roulez doucement, dit Eléonore, aimable.

— Bien sûr. Quelle bonne soirée. Ah, quelle blague, quelle bonne blague...

— Ce n'était pas une blague, dit Sébastien gentiment. Bonne nuit.

C'est un bel été, cet été 71, décidément. Il fait très beau, on a coupé les foins. En venant, l'autre jour, je me suis arrêtée près de Lieuray. Sous des peupliers. Je me suis allongée dans le foin, les petites feuilles des arbres, vert sombre, innombrables, tournaient, viraient dans le soleil, je retrouvais quelque chose. La voiture était rangée au bord de la route comme une grosse bête patiente. J'avais le temps de tout, je n'avais plus le temps de rien. Ce n'était pas mal.

Au fond, la seule idole, le seul Dieu que je respecte étant le temps, il est bien évident que je ne peux me faire plaisir ou mal profondément que par rapport à lui. Je savais que ce peuplier durerait plus que moi, que ce foin, en revanche, serait fané avant moi; je savais que l'on m'attendait à la maison et aussi que j'aurais pu rester facilement une heure sous cet arbre. Je savais que toute hâte de ma part serait aussi imbécile que toute lenteur. Et cela pour la vie. Je savais tout. En sachant que cette science n'était rien. Rien qu'un moment privilégié. A mon sens, les seuls vrais. Quand je dis « vrai », je pense « instructif » et c'est aussi bête. Je n'en saurai jamais assez. Jamais assez pour être parfaitement heureuse, jamais assez pour avoir une passion abstraite qui me nourrisse d'une manière définitive, jamais assez pour « rien ». Mais ces moments de bonheur, d'adhésion à la vie, si on se les rappelle bien, finissent par faire une sorte de couverture, de patchwork réconfortant qu'on pose sur le corps nu, efflanqué, tremblotant de notre solitude.

Le voilà lâché, le mot clef : la solitude. Ce petit lièvre mécanique qu'on lâche sur les cynodromes et derrière lequel se précipitent les grands lévriers de nos passions, de nos amitiés, essoufflés et avides, ce petit lièvre qu'ils ne rattrapent jamais mais qu'ils croient toujours accessible, à force. Jusqu'à ce qu'on leur rabatte la porte au nez. La petite porte devant laquelle ils freinent à mort ou se tapent la tête, comme Pluto. Le nombre de Plutos chez les êtres humains...

Mais voyons : voilà deux mois que je ne me suis pas occupée de Sébastien ni d'Eléonore. Et comment se sont-ils nourris, de quoi ont-ils vécu, mes chers Van Milhem, en mon absence? Je me sens des remords (des remords gais) de tutrice... Il faut que je retrouve le nom de ces gens riches chez qui ils avaient atterri... les Jedelman, et que je décide que Sébastien, en mon absence, a fait ce qu'il fallait avec cette dame, non sans quelques grognements, style : « Après tout, je ne suis plus un minet, moi, je suis vieux, etc. » Et Eléonore riant... Mais où habitent-ils? Nous voilà en août, ou presque. Ils ne peuvent plus être rue de Fleurus, ni sur la Côte d'Azur — c'est fini. Deauville, peut-être? De toute manière il serait amusant de voir la scène de séduction entre Mme Jedelman et Sébastien. Prenons un décor, vrai Louis XV mais « riche », une fin de journée tiède et tendre et bleue comme seul Paris sait en faire, l'été, prenons un sofa moutarde et quelques meubles de Knoll, pour « décaler ». Prenons, en même temps que Sébastien, pour se donner du courage, un grand whisky à l'eau. Non, sans eau...

« Oh ciel! » se disait in petto Sébastien, comme il l'avait d'ailleurs fait la veille, mais à voix haute, devant sa sœur Eléonore; et il passait d'un doute douloureux sur ses propres capacités sexuelles à une certitude non moins douloureuse sur les intentions de Mme Jedelman. « Oh ciel, comment vais-je m'en tirer? Elle va se jeter sur moi, elle va m'emporter dans un maelstrom. » Comme tout enfant nordique, Sébastien craignait les maelstroms.

Il promenait donc ses longues jambes, hélas couvertes de pantalons, dans le somptueux salon des Jedelman (Boulle-Lalenne) avenue Montaigne. Mme Jedelman était allongée mollement sur un sofa.

Elle s'était fort bien rappelé Sébastien, sa blondeur, et l'avait invité — Sébastien disait « convoqué » — dès le lendemain. Il n'était pas question de se refuser puisqu'ils n'avaient plus un sou. Eléonore, compatissante et ironique, l'avait conduit jusqu'au palier comme on escorte son frère aîné partant pour la guerre. Et maintenant, elle était là, l'autre, la Jedelman, comme on l'appelait férocement à Paris. Elle était là, peignée, poncée, poudrée, vieille, admirable. Vieille est au demeurant injuste : simplement, elle n'était plus jeune. Et cela se voyait : au cou, aux aisselles, aux genoux, aux cuisses, à toutes ces féroces régions qui dessinent sur une femme, à un certain moment, une sorte de carte Michelin trop détaillée, trop précise, bref : fichue.

Nora Jedelman le regardait marcher de long en large avec curiosité. Il n'était pas, de toute évidence, ce dont elle avait l'habitude : un « minet ». Non, Sébastien avait un port de tête, de belles mains, un regard net qui l'intriguaient. Elle se demandait, avec une curiosité peut-être égale à celle de Sébastien, ce qu'il venait faire dans son salon, d'abord, dans son lit, ensuite. Néanmoins, comme il semblait se poser la même question, elle décida de mettre fin à ce quiproquo, fût-ce par des actes. Elle se leva de son sofa, légèrement, avec une détente voulue, féline, qui lui rappela brusquement qu'elle devait passer voir son chiropracteur le lendemain, et elle cingla vers Sébastien. Celui-ci l'avait entendue approcher et il restait glacé devant la fenêtre, essayant de se rappeler une femme qui lui aurait plu, ou un excellent ouvrage érotique. En vain. Déjà elle était contre lui, des bras voilés l'entouraient, elle se pendait à son cou et les jaquettes les plus chères de New York heurtèrent ses dents à lui. A sa grande surprise, il se comporta convenablement et elle tint à lui donner une paire de boutons de manchettes ravissants qu'il alla revendre aussitôt : Eléonore, son bel oiseau, sa sœur, sa complice, le grand amour de sa vie, allait passer une soirée royale...

5

Janvier 72

Voilà bientôt six mois que j'ai abandonné ce roman, mes réflexions pertinentes et mes impertinents Suédois. Des circonstances contraires, une vie de fous, la paresse... Et puis, en octobre dernier, cet automne si beau, si roux, si déchirant dans sa splendeur que je me demandais, à force de bonheur, comment y survivre. Seule en Normandie, aussi gaie qu'épuisée, regardant avec stupeur une longue égratignure près du cœur se refermer à toute vitesse, la regardant se transformer en une cicatrice rose, plate, imperceptible, que je toucherais sans doute d'un doigt incrédule plus tard — celui de la mémoire — comme pour me convaincre de ma propre vulnérabilité. Mais retrouvant le goût de l'herbe, le parfum de la terre, m'enfouissant dans les deux, chantant la « Traviata » à tue-tête (c'est le terme) au volant de ma voiture, descendant jusqu'à Deauville. Et, en ce Deauville d'octobre, abandonné et brûlant, je regardais la mer vide, les mouettes affolées qui rasaient les planches, le soleil blanc et, à contrejour, quelques personnages qu'on eût dit tirés de *Mort à Venise* de Visconti. Et moi, seule, enfin seule, qui laissais pendre mes mains, tels des gibiers morts, de chaque côté de ma chaise longue. Rendue à la solitude, à l'adolescence rêveuse, à ce qu'on ne devrait jamais quitter, mais que les autres — l'enfer, le paradis — vous obligent sans cesse à déserter. Mais là, les autres ne pouvaient rien entre moi et ce triomphant automne.

Oui, mais qu'avaient pu faire mes Suédois, tout l'été? Sur la place de l'Atelier, à Montmartre, où nous représentions une pièce, en août, je m'inquiétais pour eux. Les petites dames en bigoudis, leur sac à la main, faisaient leurs courses, les chiens trottaient à leur guise, les travestis déambulaient au hasard d'un soleil dur, encore mal démaquillés. Assise à la terrasse de mon café favori, j'envoyais les Van Milhem en croisière avec les Jedelman, ou en tournée de province avec le jeune chanteur, j'imaginais pour eux des péripéties que je n'écrivais pas, que j'oublierais, je le savais, à la faveur de la prochaine répétition, par exemple. Consciemment et follement, je ne marquais rien sur le moindre bout de papier. Oh, délices, oh, remords... On me confiait un chien à garder parfois, ou un enfant, le temps pour la propriétaire de parcourir son trajet du combattant, chariot au poing, au Prisunic... Je discutais avec un désœuvré heureux du quartier. J'étais bien. Après, il y aurait la salle noire, les projecteurs et les problèmes des comédiens, mais là, l'été était doux, parisien, et bleu. Je n'y pouvais rien. Fini ce chapitre-excuse, ce chapitre-alibi. Aujourd'hui, me revoilà en Normandie. Il pleut, il fait froid, je ne sortirai d'ici que ce livre fini ou par la force des baïonnettes. J'ai dit. Hugh!

— Remets le disque, veux-tu? demanda Eléonore.
Sébastien tendit la main et secoua le bras du pick-up à ses pieds. Il ne demanda pas quel disque. Eléonore, après une période classique, s'était amourachée d'un disque de Charles Trenet et on n'entendait plus que lui :
« Sur une branche de bois mort
Le dernier oiseau de l'été

se balance... »

Ils étaient allongés dans une balancelle sur la terrasse de la villa Jedelman, au Cap-d'Ail. Après un moment difficile, Sébastien s'était pris d'une sorte d'affection pour Nora Jedelman. Il l'appelait « Lady Bird », cela à son vif mécontentement, d'ailleurs. Il nommait Henry Jedelman « Monsieur le Président » et se livrait, dès qu'il avait bu un peu trop, à des simulacres d'attentat politique du plus mauvais goût. Eléonore, ayant moralement séduit le couple, s'était replongée dans ses chères lectures, mais au bord de la mer, cette fois-ci. Bronzée, aimable et calme, elle avait vu défiler les jours d'été comme un rêve, entre deux pages de ses romans. Quelques amis mondains de leurs hôtes lui avaient fait la cour, vainement. En revanche, Sébastien lui prêtait des rendez-vous nocturnes avec le jardinier de la villa, un garçon superbe au demeurant. Mais de cela, il ne lui parlait pas. Autant leurs « romances » étaient pour eux, entre eux, sujet de plaisanterie, autant leurs à-coups passionnels, clandestins, devaient rester secrets. Et il savait bien que c'était le respect absolu de leurs sensualités respectives (mêlé à une ironie constante sur leurs affaires de cœur) qui leur avait toujours permis de coexister. Ils détestaient également l'exhibitionnisme qui semblait de règle à cette époque et surtout sur cette côte. Les cols roulés étaient leurs seuls sauveurs. A peine séchés, après avoir nagé tous deux dans des maillots 1900, ils se précipitaient sur leurs vêtements. On les trouvait bizarres, exotiques, car ils étaient fort bien faits, l'un et l'autre. Eux, se trouvaient simplement décents. Ils savaient que le goût des corps est une chose sensible, tendre, naturelle, semblable au goût de l'eau, à l'amour des chevaux, des chiens, du feu, et que cela n'a rien à voir ni avec le libertinage ni avec l'esthétique. A preuve Sébastien, qui prenait Nora Jedelman dans ses bras tous les soirs sans la moindre appréhension, rodé qu'il était à son parfum, à sa peau et à sa façon un peu geignarde de quêter des caresses. La grande tendresse de l'indifférence descendait alors sur lui et son corps docile le suivait. De plus, Nordiques de toujours, le soleil n'était pas pour eux ce dieu impérieux et parfois sadique qu'il semblait être pour les autres. Cela, sans qu'ils le sachent, rehaussait leur prestige : tourner le dos au soleil, au hâle, aussi naturellement, à cette époque et à cet endroit, c'était tourner le dos à l'argent.

Les amis des Jedelman étaient composés en majeure partie d'Américains fort riches, pas très raffinés encore, malgré leur incessante navette entre les U.S.A. et l'Europe. Il faut dire qu'ils se retrouvaient le plus souvent entre eux, certains salons de Paris leur restant obstinément fermés. On faisait appel à eux pour des fêtes de charité et leur générosité leur valait parfois une invitation à déjeuner, mais au Plazza. Aussi étaient-ils plus que perplexes sur la présence des Van Milhem, si évidemment de vieille famille, et sur la liaison, non moins évidente, de Sébastien et de Nora Jedelman. Il n'avait vraiment rien d'un gigolo — (combien n'en avait-elle pas eu?) — et pourtant sa sœur et lui vivaient ostensiblement aux crochets de leurs hôtes. Un ancien soupirant de Nora, éjecté pour alcoolisme, s'était permis une réflexion à ce sujet et il avait immédiatement reçu un superbe coup de poing de Sébastien, qui avait clos la discussion. De plus, le frère et la sœur semblaient un peu trop intimes. Bref, ils ne ressemblaient pas à tout le monde; bref, ils étaient dangereux, donc séduisants. Des femmes réellement belles et aussi riches que Nora tournèrent autour de Sébastien, cet été-là. En vain. Des Américains bien conservés se heurtèrent à l'indifférence totale d'Eléonore. Enfin, si la pauvre Nora n'avait pas eu des goûts si connus et si classiques, ils auraient été soupçonnés des pires perversions.

« Ce soir, ton cœur est là, fidèle.
Oui mais demain plus d'hirondelles sur la plage... »
Trenet chantait, la mer devenait grise. Nora, vêtue

d'une tunique de soie mauve qui fit légèrement battre les paupières d'Eléonore, apparut.

— C'est l'heure du cocktail, dit-elle... Mon Dieu, ce disque... Il est joli mais si triste... surtout ces jours-ci...

— Arrête le pick-up, dit Eléonore à Sébastien.

Elle sourit à Nora gentiment. Celle-ci lui rendit son sourire avec une nuance de doute. Elle se posait mille questions sur Eléonore et elle avait dû renoncer à interroger Sébastien qui se figeait aussitôt. Elle savait seulement que là où serait Eléonore serait Sébastien. Et, si c'était rassurant d'un certain côté, c'était un peu vexant de l'autre. Elle avait pourtant jeté Dave Burby, superbe parti, homme charmant, dans les bras d'Eléonore. Sans succès. Et quel était ce Hugo, qui était en prison, en Suède? Et d'où lui tombait à elle-même cet amant mystérieux et courtois qui acceptait ses cadeaux avec gentillesse et distraction, et qui, à quarante ans, avait des fous rires de jeune homme ou des cafards incompréhensibles? Elle s'attachait à lui, malgré son cynisme profond — elle avait toujours su acheter et ce qu'elle achetait. Cela l'inquiétait. Que pensait-il faire à Paris? Où pensait-il habiter avec sa rêveuse de sœur? Comptait-il sur elle ou sur le hasard? Il ne lui parlait jamais du retour et pourtant ils devaient tous rentrer dans trois jours.

Mario, le jardinier, remontait l'allée, des dahlias fauves dans les bras qu'il tendit en souriant à Nora. Eléonore le regarda avec tendresse. Quand elle avait ouvert la fenêtre de sa chambre, le premier matin, elle avait vu ce dos bronzé, mince, les mouvements adroits de ces longs bras qui émondaient un arbre, la nuque brune. Quand il s'était retourné, il lui avait d'abord souri poliment, puis il avait cessé de sourire. Alors elle-même lui avait souri avant de refermer sa fenêtre. Quand la maison dormait ou bien les soirs où tout le monde allait à Monte-Carlo ou à Cannes, elle descendait le rejoindre au fond du jardin. Il y avait la cabane à outils qui sentait la menthe fraîche, les pins, il y avait les bals où il l'emmenait parfois danser, il y avait le rire ravi de Mario, la bouche fraîche de Mario, le corps brûlant de Mario, ce corps qui n'avait pas besoin de massage. Il était de bonne race, tendre et gai, et elle respirait près de lui, loin de cette maison trop meublée, de ces gens bruyants et de ce cliquetis de dollars. Sébastien s'était chargé de leurs vacances, après tout. Sébastien, le frère idéal.

— Donnez ces derniers dahlias à Mme Van Milhem, dit Nora... Qu'ils sont beaux... ce mauve...

Mario se tourna vers Eléonore et lui tendit le bouquet. Sa chemise glissa et elle vit, sur son cou, l'ecchymose violette qu'il gardait de ses dents à elle, deux nuits avant, de la même couleur que les fleurs ouvertes. Elle lui toucha la main par hasard, il lui sourit. Et Sébastien, étonné, vit les feux de mille nostalgies, de mille regrets, se mêler à ceux du soleil couchant dans les yeux pâles de sa sœur.

Oui, je sais : me voici retombée en pleine frivolité... Ce fameux petit monde saganesque où il n'y a pas de vrais problèmes. Eh bien, oui. C'est que je commence à m'énerver, moi aussi, malgré mon infinie patience. Un exemple : après avoir déclaré et pensé (d'ailleurs, je continue) qu'une femme efficace devait être payée autant qu'un homme efficace, après avoir déclaré que c'était aux femmes de choisir librement d'avoir un enfant ou pas, et que l'avortement devait être légal puisqu'il est, sinon, une simple contrariété pour les femmes aisées et une sinistre boucherie pour les autres, après avoir juré mes grands Dieux que je m'étais fait avorter moi-même et avoir lu dans un hebdomadaire que cela se résumait ainsi : « Femmes, votre ventre est à vous, rien qu'à vous » — quelle tristesse, d'abord, et quelle expression surtout! — après avoir signé mille pétitions, après avoir écouté les doléances de banquiers, de crémiers, de chauffeurs de taxis également ruinés, semblait-il, et m'être fait moi-même dévaliser littéralement par un percepteur devenu fou furieux (il aurait fallu se méfier dès l'abord de Giscard d'Estaing : déjà ses cols roulés m'inquiétaient... Où sont-ils à présent?), après avoir failli casser quinze télévisions à force d'écœurement et manqué tomber, à force d'ennui, de mon fauteuil lors de dix spectacles « réservés au peuple », après avoir constaté l'apathie des uns, la colère impuissante des autres, la bonne volonté, la mauvaise foi, la pagaille qui règne dans ce régime Louis-Philippard et content de lui, après avoir vu des vieillards tremblants de froid trottiner devant « leurs » vignettes bleues, après avoir écouté des discours absolutistes, modérés, idiots, intelligents, après m'être retrouvée — malgré une voiture de sport pétaradante — du côté des non-possédants, après tout ça, donc, je vais de ce pas me réfugier dans un milieu imaginaire et chimérique « où l'argent ne compte pas ». Voilà. C'est mon droit, après tout, comme c'est le droit de tout un chacun de ne pas acheter mes œuvres complètes. Cette époque m'exaspère souvent, c'est vrai. Je ne suis pas un foudre de travail et la bonne conscience n'est pas mon fort. Mais maintenant, grâce à la littérature, je vais aller m'amuser avec mes amis Van Milhem. J'ai dit. Hugh!

6

Sans être sadique, Nora Jedelman aimait bien affirmer son pouvoir. Aussi attendit-elle d'être dans sa Cadillac, après Orly, pour demander à Sébastien et Eléonore où elle devait les déposer.

— 8, rue Madame, dit Sébastien d'un ton léger. Si ça ne vous fait pas un détour.

Elle se rencogna. Elle espérait soit « au Crillon », réponse d'homme aux abois, soit « où vous voulez », réponse confiante. Elle s'était tue, non sans mal, dix jours durant, pour rien. Elle ne savait rien.

— Vous avez des amis, là?

— Nous n'habitons pas que chez des amis, dit Sébastien en riant gentiment. L'un d'eux nous a trouvé un studio, avec deux chambres. Très joli, paraît-il, et pas cher comme loyer.

« Il te suffira de vendre ta montre de Cartier ou ton porte-cigarettes », pensa Nora avec colère. En fait, elle avait assez bien imaginé d'héberger provisoirement Eléonore dans une chambre d'amis, avenue Montaigne, et Sébastien dans le bureau-salon, près de sa chambre à elle. Elle s'était vue en bonne fée hospitalière, en sauveuse. Cette organisation inattendue la privait et de son rôle et de la présence familière et paresseuse de Sébastien. Elle allait rentrer seule dans son immense appartement — son époux était encore à New York —, retrouver ses deux chihuahuas. La panique la prenait.

— C'est stupide, dit-elle, j'aurais pu vous accueillir.

— Nous vous avons assez encombrée, dit Eléonore paisiblement, tout cet été. Nous ne voulons pas abuser.

« Elle se moque de Nora, pensa Sébastien, amusé. Après tout, pour une fois, c'est bien fait... Quelle est cette façon de laisser les gens dans l'expectative? Quand je pense que j'ai dû bazarder, en trois jours, tous ses boutons de manchettes et envoyer un mandat d'urgence à ce pauvre Robert... Moi qui ai horreur de marchander et d'aller à la poste. Heureusement que Robert connaît tout le quartier... J'espère que ce sera vivable... Bah, pour trois mois... » Car il avait payé trois mois d'avance.

La voiture s'arrêta devant un vieil immeuble. Nora semblait effondrée, à présent...

— Nous vous téléphonons tout de suite, dit Eléonore gentiment.

Ils étaient tous les deux sur le trottoir, leurs bagages à la main, ignorant même où ils allaient entrer, mais minces, blonds, indifférents. Payables mais inachetables, pensa Nora avec désespoir. En tout cas, « deux ». Pas seuls. Elle se raidit, fit un signe de la main, se rejeta en arrière. La Cadillac s'envola, le frère et la sœur se sourirent.

— Ce qui me plaît, c'est que c'est un rez-de-chaussée, dit Eléonore. Où est la concierge?

Leur studio était plus que sombre, donnant sur un jardin exigu, une plate-bande plutôt. Une pièce vide séparait deux chambres minuscules, mais silencieuses. Il y avait un divan rouge et, sur la seule table, une bouteille de whisky et un mot de Robert, le fidèle Robert, leur souhaitant la bienvenue.

— Comment trouvez-vous? dit la concierge. L'été, comme ça, ça fait sombre, mais l'hiver...

— Mais c'est très bien, dit Eléonore, en s'allongeant sur le divan. Merci mille fois. Où ai-je mis mon livre?

Et, sous l'œil ahuri de la concierge, elle fouilla son grand sac et elle reprit sa lecture commencée dans l'avion. Les bagages traînaient par terre et

Sébastien se promenait comme un chat dans les trois pièces.

— C'est parfait, dit-il en revenant. Parfait. A propos, madame (il s'adressait à la concierge), je vous trouve très bien maquillée.

— C'est vrai, dit Eléonore, levant les yeux, j'avais remarqué. C'est très rare et bien agréable.

La concierge partit à reculons, en souriant. Il était vrai qu'elle faisait grande attention à son physique et ce M. Van Milhem avait quelque chose. Sa sœur aussi, d'ailleurs. Des gens bien, ça se voyait à leur air (et à leurs bagages). Un peu distraits, peut-être... Ils ne resteraient pas longtemps, sans doute, et déjà, confusément, elle les regrettait.

— Il faut que je téléphone à Nora, dit Sébastien. Après tout, elle n'a pas notre numéro et ce n'est pas gentil de l'abandonner seule, dans sa Cadillac, comme une valise.

— Oh, une valise Vuitton, dit Eléonore, toujours plongée dans son roman et qui, visiblement, avait trouvé dans ce canapé usé, anonyme et presque sale, un refuge parfait.

Elle avait installé ses cigarettes à sa droite, près des allumettes, et enlevé ses chaussures. Ce roman policier, quoique un peu trop sordide et peuplé de détectives un peu trop écœurés, ce roman policier ne l'ennuyait pas. Sébastien, lui, marchait de long en large. Le plaisir de la première surprise passé, ce studio se révélait ridicule, minable, incompatible avec leurs vies. Sébastien commençait à avoir ce qu'on appelle de l'angoisse (en allemand, Katzenjammer). Pour une fois, cela lui arrivait rarement, la sérénité apparente et désinvolte de sa sœur provoquait chez lui une sorte d'énervement, énervement dû beaucoup plus à l'inaction (qu'allait-il faire de lui-même l'instant suivant?) qu'à leur destin en général. Il n'avait aucune envie de déballer les bagages, de trouver des cintres, d'accrocher des choses. Il n'avait, non plus, aucune envie d'aller dans un hypothétique café, et pourtant les cafés étaient ses grands repaires. En fait, il ne voulait pas rester seul — car il se sentait brusquement très seul en face d'Eléonore, faussement immuable et qui lisait un roman policier. Il pensait qu'elle aurait dû faire « quelque chose », ce quelque chose étant entre guillemets dans sa tête, et il se rendait compte tardivement que, depuis deux ou trois mois, ce « quelque chose » avait été fait — grâce à la séduction qu'il exerçait sur elle et grâce à son argent — par Nora Jedelman. Il se sentait adolescent, grincheux et abandonné et il trouvait qu'Eléonore aurait dû — elle qui ne s'était pas infligé le moindre effort de tout l'été — qu'elle aurait dû au moins s'en rendre compte. Bref, il se sentait « Chéri » sans Léa et un « Chéri » de quarante ans, ce qui achevait de le démoraliser.

— Pourquoi une Vuitton? dit-il d'une manière agressive.

— Ce sont les plus solides, répondit Eléonore, toujours sans le regarder. Et à l'idée de la solidité effective, du confort et de l'organisation des Jedelman, une nostalgie littéralement physique vint à Sébastien.

Sébastien Van Milhem était, d'une certaine façon, comme le vieux père Karamazov. Il trouvait quelque chose à toutes les femmes. Et même, il avait aimé beaucoup plus les défauts physiques de certaines femmes que leurs qualités. Pourvu qu'elles ne lui en parlent pas, ni gaiement ni tristement, il n'avait jamais été rebuté par des hanches trop pleines, un cou détendu ou une main fripée. Il pensait que l'amour, le noir amour, n'avait aucun rapport avec Miss France, mais bien plutôt avec Gilles de Rais, Henri VIII, Baudelaire et sa lourde mulâtresse. Il savait que nombre de ces grosses femmes mal fichues avaient tenu en laisse énormément d'hommes — parfois de génie — uniquement par l'acceptation triomphante qu'elles avaient, elles, de leur propre corps, comme d'un ami, d'un animal dévoué aussi bien à leur plaisir qu'à celui de l'homme, un corps amoureux, quoi, de l'amour. Et chaud. C'était tout ce que les hommes souhaitaient : se cacher, en le provoquant, dans le plaisir de quelqu'un, être le maître, le valet, le battu et le battant.

Tout cela Sébastien y avait toujours été sensible et maintenant qu'il avait noué avec cette femme plus âgée que lui, et moins belle en tant que femme qu'il ne l'était en tant qu'homme, des relations sensuelles, il se rendait compte que l'admiration qu'elle avait pour lui était devenue autre chose qu'un stimulant physique. C'était une sorte de fierté qu'il ressentait, généreuse et désinvolte, qu'il aurait pu traduire, tel Clovis ; « Courbe la tête, fier Sébastien, adore celle qui t'adore, ne te fatigue plus, cela suffit parfois. »

— Que veux-tu dire par « les plus solides »?

Eléonore tourna la tête, posa son roman sur ses genoux et éclata de rire.

— Ne fais pas le gentleman, mon petit. Je ne parlais pas de la fortune de Nora, ni même de son squelette. Je parlais de la tendresse réelle qu'elle a pour toi. Et je crois aussi que tu devrais lui téléphoner, car elle doit être seule et avoir peur. Si j'étais toi, je courrais chez elle tout de suite et demain, tu trouveras en rentrant une maison ravissante, arrangée par la Fée Mélusine et le Bon Magique réunis — je parle de moi.

Ils se regardèrent un instant, méfiants comme deux chats siamois brusquement indécis ou partagés sur l'image d'une souris. Il n'y avait entre eux ni mépris ni pitié, simplement pour une fois, la complicité n'était pas évidente.

Une heure après, en roulant dans son taxi vers l'avenue Montaigne où Nora l'attendait, folle de joie, Sébastien se disait que le voyou, le bohème, le Van Gogh de leur association, ce n'était plus lui, mais Eléonore qui, d'une certaine manière, et il ne savait pas où, ni quand, avait jeté ses armes.

7

Février 1972

J'avais pourtant bien juré que je ne sortirais de là (ma campagne) que par la force des baïonnettes et mon livre fini sous le bras. Hélas, le destin s'acharne... Il y a un phénomène astral qui rôde actuellement sur les Van Milhem et sur moi-même et qui fait qu'ayant chu de quelques mètres, me voici, les os brisés mais radiographiés à Paris. Et naturellement : rien de sérieux. Je ne vois vraiment pas, et j'espère que mes fidèles lecteurs touchent du bois, je ne vois vraiment pas quel engin, quelle que soit sa puissance fiscale ou en chevaux-vapeur, ou en cheval sans vapeur, viendrait à bout de moi. On peut juste venir à bout de mes raisonnements moraux et de mes décisions admirables. Exemple : « Je pars pour la campagne, je vais travailler, je me suis assez amusée comme cela, il est temps d'écrire quelque chose qui en vaille la peine. » Fermons les guillemets...

Il y a eu énormément de guillemets dans ma vie, si j'y réfléchis, quelques points d'exclamation (la passion), quelques points d'interrogation (la dépression nerveuse), quelques points de suspension (l'insouciance) et enfin là, m'étant envolée vers ce point final qui devait être posé solennellement à la fin de mon manuscrit (que mon éditeur attend avec une impatience flatteuse), me voilà atterrie dans des points de côté, entortillée, langée (à mon âge!) dans des bandes Velpeau dont je me serais facilement passée. Et encore, est-ce bien sûr? Pourvu que l'insouciance (points de suspension) ne se réveille pas et que, profitant de cet alibi idéal — l'accident — je ne retombe dans cette absence heureuse qui consiste à regarder par la fenêtre, avec une sorte de férocité anormale et immobile, les arbres du Luxembourg. Qui consiste aussi maintenant à refuser systématiquement le moindre gala, la moindre première, tous les endroits où je suis invitée en tant que Sagan, « La Sagan » comme ils disent en Italie. Ces refus qui n'ont rien de délibéré correspondent tout bêtement, chez moi, à un fou rire nerveux rien qu'à évoquer l'image que les gens ont encore de moi. Non pas que cette image ne m'ait pas servie, mais j'ai quand même passé près de dix-huit ans cachée derrière des Ferrari, des bouteilles de whisky, des ragots, des mariages, des divorces, bref ce que le public appelle la vie d'artiste. Et d'ailleurs, comment ne pas être reconnaissante à ce masque délicieux, un peu primaire, bien sûr, mais qui correspond chez moi à des goûts évidents : la vitesse, la mer, minuit, tout ce qui est éclatant, tout ce qui est noir, tout ce qui vous perd, et donc vous permet de vous trouver. Car on ne m'ôtera jamais de l'idée que c'est uniquement en se colletant avec les extrêmes de soi-même, avec ses contradictions, ses goûts, ses dégoûts et ses fureurs que l'on peut comprendre un tout petit peu, oh, je dis bien, un tout petit peu, ce que c'est que la vie. En tout cas, la mienne.

J'ajouterai, et là je mets une voilette morale (c'est bien dommage qu'il n'y ait plus de voilettes... cela seyait à beaucoup de femmes), j'ajouterai qu'à l'occasion, je me ferais encore tuer pour certains principes moraux ou esthétiques, mais je n'ai pas envie de crier sur les toits les choses que je respecte. Il suffira un jour que quelqu'un ne les respecte plus devant moi pour que cela se démontre tout seul. D'ailleurs, c'est bien connu : ma signature au bas d'un manifeste fait plutôt frivole. On me l'a souvent reproché, tout en me la demandant, d'ailleurs, cette signature, et je l'ai toujours accordée pour des raisons sérieuses. On ne m'a pas souvent prise au sérieux et c'est compréhensible. Mais il faut quand même penser qu'il m'était difficile en 1954 (mon heure de gloire) de choisir entre les deux rôles qu'on m'offrait : l'écrivain scandaleux ou la jeune fille bourgeoise. Car enfin, je n'étais ni l'un ni l'autre. Plus facilement, j'aurais été une jeune fille scandaleuse ou un écrivain bourgeois. Je n'allais pas faire un choix par rapport à des gens, qu'au demeurant je n'estimais pas, entre ces deux propositions également fausses. Ma seule solution, et je m'en félicite vivement, était de faire ce que j'avais envie de faire : la fête. Ce fut une bien belle fête, d'ailleurs, entrecoupée de romans divers et de pièces diverses. Et là finit mon histoire. Après tout, qu'est-ce que j'y peux? Ce qui m'a toujours séduite, c'est de brûler ma vie, de boire, de m'étourdir. Et si ça me plaît, à moi, ce jeu dérisoire et gratuit à notre époque mesquine, sordide et cruelle, mais qui, par un hasard prodigieux dont je la félicite vivement, m'a donné les moyens de lui échapper. Ah, ah!

Et vous, chers lecteurs, comment vivez-vous? Est-ce que votre mère vous aime? Et votre père? Etait-il un exemple pour vous, ou un cauchemar? Et qui avez-vous aimé avant que la vie ne vous coince? Et quelqu'un vous a-t-il déjà dit de quelle couleur sont vraiment vos yeux, ou vos cheveux? Et avez-vous peur la nuit? Et rêvez-vous tout haut? Et, si vous êtes un homme, avez-vous de ces affreux chagrins qui dégoûtent les femmes mal nées, celles qui ne comprennent pas — et s'en vantent, ce qui est le comble — que toute femme devrait tenir un homme sous son aile, au chaud, quand elle le peut, et l'y garder? Savez-vous que tout le monde, aussi bien votre patron que votre concierge, ou que cet horrible contractuel dans la rue, ou que sans doute ce pauvre Mao, responsable de tout un peuple, savez-vous que chacun d'eux se sent seul et qu'il a presque aussi peur de sa vie que de sa mort — comme vous-même, d'ailleurs? Ces lieux communs ne sont effrayants que parce qu'on les oublie toujours dans les relations dites humaines. On veut gagner, ou simplement survivre.

Petits Français bien nourris et mal élevés, regardez-vous en représentation partout : y compris dans l'acte d'amour, aux yeux de votre partenaire. Le conformisme, le snobisme dorment au fond des lits avec la même arrogante tranquillité que dans les salons. Personne, jamais personne, ne se conduit « bien » dans un lit, à moins d'aimer et d'être aimé — deux conditions rarement réalisées. Et puis, parfois, comme si personne n'aimait personne... l'horreur! Comme si ce dialogue tendu, décousu, presque cruel à force, que nous avons, que nous essayons d'avoir, devenait un rideau de fer forgé. Moi-même, qui essaye toujours obstinément, vaguement, de comprendre et qui suis restée en bons termes avec la vie, parfois c'est comme si je n'en pouvais plus, comme si mes interlocuteurs n'en pouvaient plus. Et je voudrais secouer la poussière de mes sandales et fuir vers les Indes. (Mais je crains que les routes hippies ne soient pas assez carrossables pour la Maserati.) Ce sont mes amis, pourtant, qui me parlent et à qui je réponds, et nous nous comprenons. Mais l'image que j'ai de nous, finalement, c'est celle de ces soldats bardés de fer, d'acier, qui sur ces étranges bateaux inventés par Fellini dans le *Satyricon*, s'approchent de la plage où doit mourir Tibère. Seulement, comme me l'a d'ailleurs dit Fellini, ces bateaux étaient imaginaires. Ils n'auraient jamais pu flotter et le premier de ces guerriers à trébucher serait tombé sans rémission au fond de l'eau, si Fellini n'y avait veillé. Seulement, Dieu n'est pas Fellini et, un jour, nous nous retrouverons tous au fond de l'eau, sans avoir compris grand-chose. Mais avec un petit peu de chance, nous aurons une main, gantée ou non de fer, cramponnée à la nôtre.

8

Ayant fini son roman policier, qui finissait d'ailleurs aussi mal que peut finir un roman policier, c'est-à-dire : les coupables tués, les innocents blessés et les détectives de plus en plus désabusés, Eléonore regardait avec une sorte d'amusement les murs grenat, la table Louis-Philippe et les trois bibelots perchés dessus, qui devaient dorénavant constituer son entourage. Sébastien s'était enfui, événement très rare. Elle le comprenait fort bien. Pour elle, toute activité, toute possession, toute liaison correspondaient à une compromission : gagner, perdre ou, dans le cas de Sébastien, grelotter. Elle finit, dans cet appartement désert, à force de démarches incertaines et indifférentes, par trouver un miroir et par s'y regarder. Il fallait, évidemment, qu'elle se remît du fond de teint, du noir aux cils, du rouge aux lèvres et qu'elle ranimât ainsi, d'une manière factice, la seule vérité qu'elle sentait en elle et qui était son squelette. Elle ne voulait plus rien. Elle n'avait plus peur de rien. « Et la vie, quant à la vie », comme dit Villiers de l'Isle-Adam, « les domestiques la vivront pour nous. » Il y avait quelque chose de si dérisoire dans les mouvements qu'elle faisait pour retrousser ses cils au noir, alors que ses yeux en avaient vraiment beaucoup trop vu, pour raviver le dessin de sa bouche, alors que sa bouche avait beaucoup trop connu d'autres bouches, quelque chose de si extravagant à peigner, à coiffer des cheveux dont le seul destin avait été, jusque-là, d'être défaits par des mains impatientes, viriles, différentes, et qui en aucun cas n'étaient allées plus loin ou plus exactement plus haut, jusqu'à ce bulbe rachidien enfoui sous la nuque et dont on vous dit qu'il est le centre, le grand raisonneur, le grand P.-D.G. de toutes les sensations.

Eléonore n'avait pas la force de défaire ses bagages ni même l'envie. Paris lui semblait terne comme une lampe trop usée, et cet endroit à peu près insupportable de tristesse ne la gênait pas, en fait, mais correspondait chez elle à un certain état d'esprit qu'elle n'avait même pas à se formuler : « Bon, bon, eh bien, voilà, l'été, c'est une bonne chose de faite. » S'étant maquillée en étrangère à elle-même, à son frère, à qui que ce fût, se sachant incapable de sortir dans les conditions précises où elle s'était mise, se sachant incapable de rien, sauf peut-être de lire un autre roman policier — encore fallait-il l'acheter et elle était incapable de passer la porte —, elle se rallongea, toute maquillée, très belle au demeurant, sur le vieux canapé et attendit. Elle attendit que son cœur se calmât d'abord, parce que cet imbécile, ce fou, lui qui n'avait jamais battu pour personne — et quelque chose en elle le lui avait assez souvent reproché — se mettait à battre comme une pendule trop bien remontée, trop régulière, trop forte et si bruyante que ses tempes, selon l'expression consacrée, lui faisaient mal. Eléonore ne pouvait plus rien. Elle ne pouvait pas parler à la concierge qu'elle trouvait cependant sympathique. Elle ne pouvait pas démontrer à Sébastien le dérisoire de son comportement, puisque, après tout, ce comportement n'était fait que pour elle. Elle ne pouvait pas aller voir Hugo puisque les murs des prisons à Stockholm étaient trop épais. Elle ne pouvait pas non plus (bel été) retrouver Mario qui l'avait sûrement déjà oubliée tout comme elle-même. Cette espèce de tristesse mortelle, de solitude acceptée qui avait toujours été au fond de sa vie et avec laquelle elle ne s'était battue que pendant dix ans, entre dix-huit et vingt-huit environ, cette solitude, maintenant qu'elle était parfaitement indéracinable, elle la retrouvait grandie, sordide, magnifiée dans cet appartement grenat et mesquin où même son frère, son Castor, son Pollux, l'avait abandonnée. Elle hésita devant des comprimés blancs, faciles et qu'elle savait faciles, mais cela lui paraissait un peu trop vulgaire, plus exactement, un peu trop évident, elle alla se coucher dans un des deux lits que la concierge avait obligeamment préparés. Si, en dormant, elle étreignait l'oreiller comme on étreint un enfant ou un homme, c'était vraiment parce que le sommeil la privait de ses réflexes naturels.

L'ennuyeux dans ce charmant métier — vocation — besoin — suicide mental — compensation — l'ennuyeux, c'est qu'au bout de dix-huit ans, ce qui est mon cas, on a essuyé, littéralement, tous les commentaires possibles et imaginables. Par exemple, moi, j'ai toujours eu droit à des dames réjouies, ou à de fermes jeunes gens qui me disaient qu'ils avaient toujours beaucoup aimé : a) *Bonjour Tristesse*, et b) dans mon théâtre, *Château en Suède*. C'est légèrement déprimant pour un auteur, même si l'intention est bonne, car on a le sentiment d'avoir eu deux beaux enfants, bien sains, qui ont fait leur chemin dans la vie, et ensuite, une file de petits canards boiteux qui, eux, ont moins plu, les pauvres... Cette catégorie de lecteurs est la plus fréquente. Après, il y a ceux qui ont « vu » : « J'avais beaucoup aimé, comme tout le monde, *Bonjour Tristesse*, mais je dois vous dire que mon grand faible, c'est *Aimez-vous Brahms*. Ah là là, Ingrid Bergman, qu'est-ce qu'elle était bien là-dedans! » Troisième catégorie, plus raffinée : « Vous savez, techniquement, cette pièce était mal montée. » (Là, je baisse les yeux de honte parce que c'est moi qui l'ai montée.) « Mais je crois que dans votre théâtre, ce que je préfère, c'est *Bonheur, Impair et Passe*. » Quatrième catégorie, encore plus spécialisée et donc, encore plus à contre-courant : « Moi, je vais vous dire, le seul livre que j'aie aimé de vous (sous-entendu, le reste, je l'aurais volontiers jeté dans la corbeille à papier), le seul qui ait quelque chose de violent, d'obsessionnel, c'est *Les Merveilleux Nuages*. » On adopte ainsi un comportement tout à fait étrange, à la fois de mère-poule, prête à défendre ses petits quand le reproche est trop gros, et de consentement résigné — tout dépend des jours et de la tête de l'interlocuteur — mais qui peut vous amener à sauter à n'importe quelle gorge en pensant : « Pauvre imbécile, mon meilleur livre, c'est ça! » Sans savoir lequel, d'ailleurs. Ou bien, au contraire : « Mon pauvre ami, comme vous avez raison, tout cela ne vaut pas tripette. »

Quand on y pense, c'est assez confondant, ce mélange d'ingénuité, de grossièreté et de gentillesse, avec lequel les gens vous parlent de ce qu'on a fait. C'est très logique pourtant : on leur livre deux cents ou trois cents pages — dans mon cas, plutôt deux cents — de prose qu'ils payent quinze-vingt francs, ou un fauteuil d'orchestre, vingt-cinq, et ils se sentent le droit, presque le devoir, de vous informer de leurs réactions. Je me demande même si certains ne pensent pas, ce faisant, vous rendre service. Ce qu'ils n'arrivent pas à ajouter au prix du livre, c'est cette espèce d'énorme T.V.A. mentale, morale, psychologique, morbide, insupportable, qu'est le silence qui règne parfois entre quelqu'un qui aime écrire et la page de papier en face de lui. Et ces innombrables crochets pour éviter de voir la table à laquelle l'on doit s'asseoir, et ces innombrables crochets pour ne pas voir non plus la pluie ou le soleil dehors, affreusement tentateurs. J'ai toujours eu une grande admiration pour les gens — apparemment nombreux — qui écrivent dans les cafés. Moi il me semble que, dans un café, je passerais mon temps à regarder la tête des autres consommateurs, à parlicoter avec le garçon, à échanger des œillades, ou à essayer de le faire, avec un bel Argentin. Tout me distrait, dès que je ne suis plus seule. Tout m'accapare, tout m'amuse ou me fait de la peine, selon les circonstances. Ce n'est qu'enfermée à double tour par une main inflexible — cette main, hélas, doit être la mienne et Dieu sait que mes mains ne manquent pas de flexibilité — que je peux travailler. J'ai bien essayé quelquefois dans ma vie de me faire enfermer par d'autres, de bonnes âmes soucieuses de mon sort et peu sûres de ma volonté, mais alors ma défunte volonté se réveillait comme une puce, et j'étais capable d'escalader des balcons, de descendre des gouttières, de hurler à la mort jusqu'à ce qu'on me rouvre. Et là, naturellement, hurlant que la littérature était question d'inspiration, que je refusais d'être une bureaucrate, que je n'étais pas payée aux pièces, que je n'avais plus douze ans, etc.

Destin étrange, que celui de l'écrivain. Il doit se mener les rênes courtes, à un pas bien accordé, l'échine droite, alors qu'idéalement il devrait faire le cheval fou, crinière au vent, gambadant par-dessus des fossés ridicules, tels la grammaire, la syntaxe ou la paresse, cette dernière étant une haie gigantesque. Quand je pense qu'on appelle ce métier un métier libéral, quand je pense qu'on n'a même pas un chef de bureau pour vous taper sur les doigts, qu'on n'a personne, vraiment personne, pour noter vos copies et quand je pense que la liberté, au fond, n'est jamais qu'une chose que l'on dérobe, et que la seule personne à qui on puisse la dérober, dans ce cas, c'est nous-même. Voleur volé, arroseur arrosé, c'est notre lot. Les pires brimades ne peuvent jamais venir que de nous-mêmes. Quand je pense à mon malheureux destin qui consiste à faire ce que je veux quand j'en ai envie, de plus à en vivre largement, j'ai envie de sangloter. Enfin, j'espère que mes lecteurs et mon éditeur me comprendront et auront assez d'imagination pour me plaindre.

Alors, me direz-vous, pourquoi écrire? D'abord pour des raisons sordides : parce que je suis une vieille cigale et que, si je n'écris pas pendant deux ou trois ans, je me fais l'effet d'une dégénérée. Hélas! Dès que mes livres sont publiés, une certaine partie de la critique me traite précisément de dégénérée. De nature influençable, je m'arrête d'écrire, non sans un vif soulagement... Et puis, deux ans après, les échos de ces voix chères (les critiques) s'étant évanouis, je retrouve mon propre jugement : « Ma pauvre amie, tu n'es qu'une dégénérée. » On voit comme l'enchaînement est agréable et comme il est amusant d'être un écrivain « à succès », à Paris, en 1972. Ah, c'est que je n'ai pas fini de me plaindre! Cette vie de miel et de roses, de facilité, de gaieté et de bêtises, c'est qu'il faut pouvoir la supporter! Il faut avoir une rude colonne vertébrale pour ne tolérer ni l'ennui ni les obligations ni les conventions, bref tout ce qui fait, quel que soit le niveau social, les points de ralliement de tout un chacun. Il faut être très équilibrée pour aller se promener librement n'importe où, sans que cette promenade ne devienne pour vous-même autre chose qu'une exquise école buissonnière.

9

Sébastien gisait sur le dos dans les draps délicieusement doux, de chez Porthault, du lit de Nora Jedelman. Il faisait chaud encore, et par la fenêtre ouverte sur l'avenue Montaigne, on entendait les pas et les voix de quelques passants attardés. Au début, tout avait été réconfortant. Il y avait eu l'accueil presque timide pour une fois, à force de soulagement, de Nora, le jappement infernal mais attendrissant des chihuahuas et, surtout, cette étendue de moquette gigantesque et beige, semblable à la mer qu'il venait de quitter et, comme elle, rassurante. Et puis un feu de bois un peu précoce, et puis quelques whiskies, avec de la glace cette fois, et pour finir, bien entendu, quelqu'un qui avait besoin de lui, qui l'aimait et le lui disait. Mais à présent, il se faisait l'effet d'un déserteur. La main nue et fortement baguée qui reposait sur son épaule lui sembla peser de plus en plus lourd, tandis que la voix un peu nasillarde, même dans ses chuchotements, devenait de plus en plus bruyante.

— Cette pauvre Éléonore, dit la voix, et déjà le terme de « pauvre » hérissa Sébastien, tu l'as laissée toute seule.

— Ma sœur adore la solitude, répondit Sébastien. Vous devez le savoir.

— Ta sœur est étrange, dit la voix. Je me demandais... tu sais, quand je lui ai présenté ce charmant Dave Burby, elle ne l'a même pas regardé. Elle parlait plus volontiers à la fille avec qui il était venu, Candice.

— Ah oui, dit Sébastien, distrait.

— Je me suis même demandé à ce moment-là (petit rire gêné dans le noir) si ta sœur ne préférait pas les femmes.

Sébastien bâilla et se retourna sur le côté.

— Si cette Candice lui avait plu — et à mon avis, elle était bien plus drôle que Burby — Eléonore n'aurait sûrement pas hésité, dit-il.

— My God, dit plaintivement Nora dont le protestantisme se réveillait parfois, notamment après l'amour.

— Ne vous inquiétez pas, reprit Sébastien, Eléonore a couché avec le jardinier tout l'été.

— My God, s'exclama Nora dont le snobisme était plus violent encore que les conventions morales. Avec Mario?

— Avec Mario, oui, dit Sébastien. Au demeurant, à part moi, c'était bien le plus bel homme qui était chez vous.

Il y eut un instant de silence pétrifié, délicieux pour Sébastien, qui commençait à éprouver une allergie pour les draps, les chihuahuas abrités sous la coiffeuse, et cette femme débordante de questions. Ce silence parut moins délicieux à Nora qui, comme beaucoup de gens issus de milieux relativement modestes et arrivés à une certaine fortune, à ce qu'ils appellent dans leur horrible jargon un certain « standing », considérait comme une dépravation exemplaire une liaison avec un domestique. Bien que toutes ces femmes aient pris l'habitude (et même le goût) de transformer leurs amants en valets, la démarche contraire leur paraît inadmissible. A tout prendre, elle eût préféré qu'Eléonore ait une liaison douteuse avec cette Candice qui, du moins, était la fille d'un marchand de textiles fort connu à Dallas. Il n'était évidemment pas question pour elle de condamner la conduite d'Eléonore devant Sébastien : elle savait trop que cela entraînerait automatiquement le départ définitif de ce dernier. Mais il était de son devoir, en tant que maîtresse de maison, de stigmatiser ces agissements et de le faire sentir, légèrement bien sûr, à Sébastien. D'ailleurs, le pauvre chéri devait, sans doute, souffrir atrocement des goûts ancillaires de sa sœur. Comme toute personne qui ne comprend pas grand-chose, elle assimilait aussitôt un accident particulier à un vice continu. Elle vit donc Sébastien, traînant sa sœur d'hôtel en hôtel, évitant les beaux stewards, échappant à des maîtres d'hôtels douteux, Sébastien désespéré du manque de « classe » d'Eléonore. Le cynisme qu'il affichait n'était sûrement qu'une parade pour défendre sa sœur. Comblée, repue et presque les larmes aux yeux à force de bons sentiments, elle mit sa tête sur son épaule tout en lui serrant la main d'une façon éloquente. C'est alors que le fou rire se déclencha chez Sébastien. Il avait dit ces choses par lassitude, pour rire comme d'habitude, et parce que c'était vrai de plus, mais il ne pensait pas susciter par ce modeste récit (Dieu sait qu'ils en avaient vu d'autres, Eléonore et lui) une réaction aussi virginale. Il eût bien préféré celle d'une femme latine, nordique, qui lui eût dit gaiement : « Oh, c'est vrai, Mario... Que je suis bête, je n'y aurais jamais pensé. » Mais l'Amérique était là, près de lui, et bien que ce fût sous des draps de Porthault, le bateau du May-flower naviguait à son flanc, ainsi que les Quakers, l'argent, ce qui se fait, ce qui ne se fait pas, la Bible et surtout, surtout, les commentaires possibles des petites amies. Sous ces draps européens et doux, célèbres, ces draps pleins de fleurs très pâles, aux couleurs d'aquarelle, ces fleurs européennes, se levait un vent furieux venu du Transvaal, de la constitution américaine, du Far West et des banques de Boston. L'indignation qu'il sentait dans le petit corps rebondi et confortable, d'ailleurs, de sa compagne de lit, ce petit corps qui avait tellement plus joui grâce aux dollars de Boston qu'aux préceptes de la Bible, l'enchantait. Tout à coup, alors que le premier spasme du rire le prenait à la gorge, il imagina Eléonore dans ce meublé miteux où il l'avait abandonnée, il l'imagina longue, mince, les mains ouvertes —, il imagina ses paupières un peu trop longues sur ces yeux gris, gris comme les siens, il imagina l'absence totale de vulgarité ou même de précautions qu'il y avait en elle et, une fois de plus, le sentiment qu'ils étaient du même sang et, quoique n'étant pas jumeaux, à jamais condamnés aux mêmes réflexes, aux mêmes refus, le transperça et lui fit peur. « Cette fois, se disait-il, assis à présent sur le lit et les yeux toujours brillants de larmes de rire (à la seule pensée du Mayflower), c'est vrai que je vais m'encanailler ici », et toujours riant, il se leva, s'habilla malgré les questions éplorées et les assurances amoureuses de la pauvre Nora. Incapable de lui dire un mot, incapable même de lui dire qu'il était venu dans les meilleures intentions du monde et que la pitié qu'il avait eue de sa solitude dans cet appartement trop grand était autant entrée en ligne de compte que son propre malaise dans sa décision de venir. Incapable donc de la rassurer, toujours riant, il descendit quatre à quatre l'escalier, se retrouva dans l'air frais du matin, avenue Montaigne, et se mit à courir vers la rue Madame... pas très longtemps, d'ailleurs, jusqu'à ce qu'il trouve un taxi. A peine arrivé, il réveilla Eléonore en trébuchant sur sa valise dans l'entrée et elle se dressa sur son lit et murmura : « Ah, tiens, c'est toi », d'un air aimable mais étonné comme si elle eût pu attendre quelqu'un d'autre. Alors il se mit sur son lit et lui raconta tout et ils rirent tellement toute la nuit, avec cinquante cigarettes écrasées dans chaque cendrier marqué « Martini », et cette bouteille entre eux qu'ils n'arrêtaient pas de se passer, ils rirent tellement qu'à midi, le lendemain, ils dormaient encore, épuisés, heureux, retrouvés.

10

Ce qu'il y a d'agréable pour moi, dans ce roman que j'écris au jour le jour et ce que j'espère, cette fois-ci, c'est que personne, vraiment personne ne viendra me dire : « C'est drôle, vous savez, Sébastien, c'est tellement moi, et Eléonore, c'est absolument moi. » (Pour Nora Jedelman, je me fais peu de souci.) C'est si lassant cette assimilation qui est, paraît-il, hélas, à la base du succès, en tout cas du mien. J'ai vu des dames monstres m'expliquer à quel point elles s'étaient reconnues dans la « Paule » de *Aimez-vous Brahms*, ou Dieu sait quoi, j'en ai vu des gens étranges, si loin de ma pensée, correspondre dans la leur à mes héros. Ici, je pense quand même que personne ne va voir dans l'un de ces deux fous de Suédois son homologue. Peut-être quelques esprits licencieux viendront-ils m'expliquer que « eux aussi, l'inceste... ». Mais autrement? Il me semble difficile de s'intégrer à ces gens.

Cela dit, quand les monstres en question me murmuraient : « Vous savez, je suis passée par là », j'étais sûre que d'une certaine manière, c'était vrai. Ce n'est pas le bon sens qui est la chose au monde la mieux partagée, ce sont les sentiments. Et la vilaine dame qui se voyait obligée de choisir entre un homme mûr, solide, et un amant trop ardent, cette vilaine dame ne mentait pas : elle avait eu, à un moment ou un autre, l'occasion d'y croire, ou, sinon l'occasion, du moins le vif désir; et en fin de compte cela ressemble beaucoup, presque à s'y méprendre, à la vie vécue : la vie rêvée. Etant donné que la denrée la plus précieuse — l'or, le sel, l'eau même — que l'on puisse trouver dans ce repas, ce repas bizarre qu'on appelle la conversation entre deux êtres humains, que cette denrée, donc, c'est l'imagination, que celle-ci est rarissime, que c'est la seule chose dont les gens aient besoin, envie, qu'ils possèdent parfois, d'ailleurs, mais qu'ils ne peuvent **jamais** imposer. Cette même imagination, que l'on nomme fort justement la folle du logis et qui est la seule à pouvoir empêcher un logis de se construire sur des bases pratiques et assommantes, bref, pour finir ma phrase, il faut bien comprendre qu'il n'y a rien d'autre qu'elle. Je veux dire que, si l'on n'a pas un peu d'imagination vis-à-vis de ses amis, il peut leur arriver de se tuer bêtement parce que justement, un soir, on en a manqué à leur égard. Il peut arriver qu'étant seul soi-même, et parfaitement désespéré pour une raison X, un coup de chaleur et d'envie de vivre se lève en vous, simplement parce qu'un incident quelconque a réveillé cette pauvre folle. Il peut arriver, si l'on fait un travail dit créateur, qu'on lui coure après pendant des nuits, à la fois ravie et épouvantée, comme les enfants après les chauves-souris, l'été, dans les maisons de campagne. Il peut arriver qu'on ait l'impression, en rencontrant quelqu'un, de se trouver en face d'un grand mutilé, presque un mutilé de la face — et cela quelle que soit sa beauté intrinsèque — tout bonnement parce que la folle du logis n'est jamais passée chez lui. Il peut arriver qu'on tombe amoureuse d'un menteur forcené parce que, pris entre deux mensonges et coincé (« squeezed » disent les Anglais) devant témoins, il s'en tire grâce à un troisième mensonge, admirable par ce qu'il révèle. J'en ai vu dans ma vie, Dieu sait, de ceux que l'on nomme aujourd'hui avec mépris des mythomanes. Je ne parle pas de la mythomanie de défense, toujours assez attristante, je parle de l'autre, destinée à plaire. J'en ai été la victime heureuse, très longtemps. Maintenant, je la détecte à des signes purement physiques dont je devrais donner le tableau signalétique aux lectrices de *Elle*, par exemple : c'est l'air calme, la voix un peu détimbrée, l'œil bien droit, presque plus foncé et, contrairement aux films provençaux, une absence de gestes délibérée. Les mythomanes ont pour moi un charme très précis, ils mentent le plus souvent gratuitement. On pourrait presque dire qu'ils mentent autant pour vous faire plaisir que pour se faire plaisir. Il y a le mythomane masochiste (rare, hélas) qui raconte des histoires qui tournent à son désavantage, et c'est la première forme de l'humour; puis il y a le mythomane paranoïaque (le plus fréquent hélas) qui vous raconte en riant ses triomphes, ses succès, ses gloires. Je ne saurais et ne voudrais pour rien au monde interrompre ni l'un ni l'autre (à moins qu'ils ne soient mortels d'ennui). Il y a aussi, et cela c'est tragique, le mythomane sans imagination, le mythomane à idées fixes, celui dont tous les noctambules s'écartent, tels des oiseaux affolés par un épouvantail, dès qu'il entre dans un lieu de nuit. Je ne voudrais pas les interrompre, les mythomanes, pour deux raisons : d'abord, parce que c'est un effort chez eux de changer leur vie en la reconstituant — après tout, la littérature, qu'est-ce que c'est d'autre? — ensuite parce que c'est par gentillesse qu'ils cherchent à vous entraîner dans leurs spirales. Ah, si certains sceptiques voulaient comprendre que certains mensonges qu'on leur fait, certains récits surtout, sont un hommage qu'on leur rend : on les croit à la fois assez intelligents pour saisir le problème posé, assez imaginatifs pour souhaiter un dénouement, assez enfantins pour supposer qu'il y en ait un et assez tendres pour ne pas dire : « Arrêtez-moi donc ce jeu. » Certaines personnes, dont la vie a été nourrie de ces récits farfelus, bizarres et faux dont elles se plaignent, devraient se rendre compte que c'est là qu'elles se sont nourries, abreuvées, et que c'est ainsi que s'est posée sur leur front, pour une fois et pour rien, la main impérieuse, affectueuse et brûlante de la folle du logis.

La concierge leur avait apporté un café très noir pour les réveiller et s'était opportunément proposée à défaire leurs bagages. Elle trouvait un petit peu fort, quand même, qu'au bout de vingt-quatre heures toutes les ravissantes tenues de cette Mme Van Milhem restent serrées entre elles au fond d'une valise. A cet agacement naturel chez une femme qui avait le sens du maquillage (on l'a déjà dit) et donc le respect de l'élégance, commençaient à se mêler la sollicitude légèrement soucieuse, le dévouement spontané que les Van Milhem avaient toujours provoqués sur leur passage quand, par hasard, ils voyageaient seuls. Déjà, Mme Schiller, la concierge, commençait à prendre en main les problèmes du chauffage, du charbon, de l'électricité et autres corporations, enchantée en fait de ces deux enfants attardés qui lui tombaient soudain dans les bras (M. Schiller n'avait jamais voulu d'enfant). Elle s'expliquait dans un langage fleuri, mais pratique, au téléphone, tandis que le frère et la sœur croquaient leurs biscottes avec indifférence. La présence de Mme Schiller leur paraissait tout aussi naturelle dans leur vie, et dans l'organisation de cette vie, que celle — c'est affreux à dire — de Nora Jedelman. Ils la trouvaient même moins encombrante et, toujours aux yeux d'Eléonore, bien mieux maquillée.

— Cette pauvre Nora, dit Sébastien, si elle veut appeler, elle va avoir du mal. Notre maison est un vrai quartier général.

— Tu lui as fait un cadeau empoisonné, dit Eléonore, alors qu'elle te couvrait de ravissantes babioles. Ce n'est pas gentil.

— Quel cadeau? s'enquit Sébastien.

— Tu lui as redonné le goût d'aimer, dit Eléonore, et elle s'étira, passa dans la salle de bains, ou ce qui en tenait lieu, et revint aussitôt pour avertir Mme Schiller qu'il n'y avait pas d'eau chaude.

Il se trouvait que Mme Schiller était justement la meilleure amie de la femme du plombier (un homme insaisissable celui-là) et elle se fit une gloire de le leur démontrer.

— Il me reste environ quatre mille francs, dit Sébastien, et le loyer est payé pour trois mois, mais il faut se nourrir et s'habiller.

— Oh, s'habiller, dit Eléonore, bronzés comme nous sommes...

— C'est une tenue un peu légère quand même, dit Sébastien. Non, je vais trouver du travail.

L'éclat de rire d'Eléonore faillit faire échouer la transaction difficile qui se déroulait entre Mme Schiller et la femme du plombier. Eléonore riait rarement, mais quand elle riait, c'était d'un rire bas, incoercible, contagieux, un rire « à la Garbo » disait son frère. Sébastien se vexa :

— Je vais téléphoner à mon ami Robert une fois que tu seras calmée, ou alors, si tu veux, on peut acheter pour trois mille francs de whisky et les boire ici, à toute vitesse. Ce serait bien le diable si l'on n'en claque pas.

— Avec nos santés, répondit Eléonore, je crains que non. Pourquoi ne demandes-tu pas à Mme Schiller? Elle te trouvera une place de gardien au Luxembourg.

— Sans doute, mais c'est contraire à mes idées. Tu me vois pourchassant les amoureux, les enfants, refusant les chiens et sifflant comme un fou dès 5 heures? Ah non!

— J'aimerais bien être couturière à la journée, dit Eléonore brusquement. Je resterais ici, je coudrais d'une main, je lirais de l'autre.

— Malheureusement, tu ne sais pas coudre et je crois qu'il faut les deux mains, dit Sébastien.

Ils restèrent songeurs, mais ravis. Ils aimaient beaucoup échanger ainsi sur un ton sérieux des projets impossibles et modestes et, sans doute, s'ils en avaient été capables, ces emplois relativement libres leur auraient été moralement plus faciles à supporter que celui de gens entretenus. (Moralement voulant dire fatigue morale, et non moralité pure.)

— J'ai le plombier, s'écria Mme Schiller. Je l'ai attrapé au vol et on l'aura ce soir.

Ce « on » les fit sourire : ils avaient déjà récupéré une mère. Emporté par son élan, Sébastien décrocha le téléphone et appela le numéro de la rue de Fleurus où il trouva Robert Bessy (qui justement allait sortir et qui, naturellement, arrivait tout de suite). Il se retourna vers Eléonore en souriant.

— Il semble bien qu'à Paris les gens vivent uniquement d'adverbes. Ils sont toujours « justement » sur le point de faire quelque chose, ils seront « naturellement » ravis de venir et il va « évidemment » s'occuper « activement », tu verras, de me trouver une situation.

— Je vais essayer de me faire une vague beauté, dit Eléonore, avec ou sans plombier. Bien que ce Robert ne semble pas très réceptif aux femmes, je ne tiens pas à le recevoir en robe de chambre.

Elle était de très bonne humeur, tout à coup. Sébastien était redevenu vacant, Mme Schiller les protégeait et cet appartement, à l'usage, ne manquait pas d'un certain charme.

— Ne t'inquiète pas, dit-elle sur le pas de la salle de bains, tu t'es chargé de tout cet été. Maintenant, je vais prendre les choses en main.

Installé sur le divan grenat et feuilletant le *Parisien Libéré* emprunté à M. Schiller, Sébastien eut un petit rire qui signifiait « il était temps ». Lui aussi se sentait aussi heureux qu'on puisse l'être.

Robert Bessy était de taille moyenne, un peu corpulent, habillé de manière trop jeune, et il professait visiblement pour Sébastien une admiration éperdue. Il baisa la main d'Eléonore, s'excusa de les avoir si mal logés — et là, ils se récrièrent — puis accepta dans un verre à dents une goutte du fond de sa bouteille. Il avait environ quarante ans; chargé de presse de quelque maison de couture, quelque théâtre, organisateur de nombreuses soirées parisiennes, il semblait considérer comme tout à fait facile, bien qu'un peu effrayant, de s'adjoindre Sébastien comme collaborateur. Il tenta de lui expliquer dans les grandes lignes ce que serait son rôle.

— C'est un métier où ce qu'il faut avant tout, c'est de l'entregent, de la vivacité d'esprit, du tact, du charme, bref, toutes tes qualités, Sébastien.

Eléonore était devenue toute rouge, pour une fois, à force de s'empêcher de rire. Sébastien s'énerva.

— Ma sœur est une idiote. Je ne connais plus grand monde à Paris et je manque parfois de tact, mais pour le charme et la vivacité d'esprit, ma chère sœur, permets-moi de te dire que je te rends des points.

— Mais oui, mais oui, dit Eléonore, en éclatant de rire.

— Au début, reprit Robert Bessy, un peu déconcerté, tu seras choqué par certaines choses... les hiérarchies ne sont pas exactement les tiennes dans ce milieu. Mais tu t'habitueras, il te suffira d'un peu de patience...

— ... Et de vivacité d'esprit, enchaîna Eléonore que la gaieté rendait tout à fait irrespectueuse.

— Eh bien, c'est d'accord, dit Sébastien d'un air royal, comme s'il faisait un cadeau à son camarade de classe, c'est d'accord. Je commencerai la semaine prochaine, le temps de reconstituer un peu mon vestiaire qui laisse à désirer.

Une légère étincelle de panique apparut dans l'œil de Robert.

— Tu ne m'as rien demandé, dit-il, au sujet de l'argent. C'est un métier très journalier, tu sais, etc.

— Je te fais confiance, je te fais confiance, dit gaiement Sébastien, tu n'as jamais été un pignouf, que je sache.

L'étincelle de panique était devenue un brasier.

— Il faut quand même que je te prévienne...

60

— Je ne parle jamais d'argent devant une femme, dit Sébastien sèchement.

Et Robert s'excusa, battit en retraite, et ainsi s'expliqua à Eléonore l'ascendant bizarre qu'avait eu, et que gardait vingt ans après, l'affreux Sébastien. De petites brimades, comme ça, au nom de l'esthétique. La comparaison incessante que Robert devait faire au collège et encore aujourd'hui, entre ce lévrier intelligent nommé Van Milhem et ce cocker dégourdi nommé Robert Bessy, lui-même. Car, de même que la mémoire enregistre et grave les souvenirs d'enfance ou de jeunesse bien plus profondément que ceux de l'âge mûr, de même certains ascendants, certaines séductions, d'ordre physique ou moral, s'ils ont été subis à l'âge tendre, c'est-à-dire l'âge ingrat, continuent, trente ans après, à exercer leur pouvoir. Peut-être parce que, ce que l'on aime vraiment à ces jeunes âges malheureux, c'est l'inaccessible et que Sébastien, malgré le temps, était resté et resterait pour son ami l'inaccessible Sébastien.

Les ayant logés, s'engageant à les nourrir, Robert Bessy ne pouvait faire moins que de les inviter à déjeuner, ce qu'il fit. Ce fut un déjeuner fort gai. Eléonore était très en forme, attirait de nombreux regards dans le restaurant luxueux où les avait emmenés Robert. Ce dernier le remarqua et lui qui, malgré son admiration inconditionnelle, avait quand même eu vent, quinze ans auparavant, de la manière dont vivaient les deux coucous, se dit avec un certain soulagement qu'il n'en aurait peut-être pas pour très longtemps à payer Sébastien pour qu'il fasse semblant de travailler. Déjà, dans sa tête, il prévoyait quelques dîners qui le déchargeraient de son engagement. En même temps, avec nostalgie, il pensait que, dix ans plus tôt, il aurait été fou de joie de travailler avec Sébastien et même de le voir faire semblant, tant il savait que, de la sorte, l'imprévu envahirait sa vie. Oui, il y a dix ans encore, à trente ans, il aurait été prêt à prendre tous les risques et à les partager avec quelqu'un qu'il admirait. Seulement depuis, il avait réussi, il avait des responsabilités et, dans ce milieu si fermé et si féroce de Paris, il était arrivé à « faire son trou ». Tout en croquant sa langoustine, il se demandait avec tristesse si cette expression n'était pas horriblement juste et si ce « trou » si soigneusement creusé n'était pas celui de la tombe.

11

Le soleil rouge de février se couchait derrière les arbres noirs. A la fenêtre de sa maison de Normandie, la malheureuse écrivassière regardait se terminer le jour. Depuis quarante-huit heures, elle ne parvenait plus à écrire le moindre mot. Elle aurait dû en être triste. Essayer d'écrire sans y parvenir, c'était comme faire l'amour sans plaisir, boire sans s'enivrer, voyager sans jamais arriver. C'était l'enfer, l'échec. Bien sûr, les journées passaient toutes seules, toutes semblables, et le temps, enfin calmé, avait des douceurs ralenties, des demi-extases, à force d'immobilité. Mais il fallait bien vivre, quand même, travailler, revenir un jour à Paris, retrouver « les autres ». Il fallait se secouer. Cependant, les matinées étaient belles au soleil, la terre sentait le froid, le chien jouait avec un bâton, durant des heures, et les feux de bois ronronnaient au même rythme que ce gros roman anglais, imprudemment commencé. Se secouer... Encore eût-il fallu être malheureuse. C'était vrai, quoi, à force : ça devenait pénible, tout ça. Elle avait écrit, à dix-huit ans, une jolie dissertation française, que l'on avait publiée et qui l'avait rendue célèbre. Elle avait refusé de prendre tout cela au tragique, voire au sérieux : de toute façon, écrire était *a priori* un plaisir pour elle. Et voilà que dix-huit ans plus tard, elle était obligée de se prendre vraiment au sérieux si elle ne voulait pas que sa situation, celle de sa petite famille, devînt tragique. Et là, elle n'avait aucune envie d'écrire. Et déjà le remords de n'avoir rien fait « ce jour-là » pesait sur sa conscience. Des histoires d'impôts, de dettes, des histoires lugubres gâchaient sa rêverie poétique. On laisse se faire les choses, se créer des habitudes de facilité, on laisse les autres dessiner de nous-même un portrait-robot, on laisse tout filer : le temps, l'argent et les passions, et l'on se retrouve devant une machine à écrire muette comme une comptable épuisée. Avec toujours, en contrepoint, ce léger fou rire intérieur à son propre égard. Cette dérision. Eh oui, elle voulait bien admettre qu'elle conduisait pieds nus ses voitures — comme tout le monde d'ailleurs, en revenant de la plage, car le sable fait mal dans les chaussures —, eh oui, elle voulait bien admettre que le whisky était un de ses plus fidèles lieutenants — car la vie n'est pas si douce aux semi-écorchés que sont les êtres humains. Eh oui! Mais elle ne s'excuserait jamais de rien car personne ne lui semblait mériter qu'elle s'excusât vis-à-vis de lui. Tout au plus, dans certaines circonstances privées et passionnelles, demanderait-elle pardon dans le noir, avec une vraie humilité, à quelqu'un de blessé. Mais par rapport à ce gentil pantin qu'elle était censée être, et qu'elle était peut-être d'ailleurs, parfois sans s'en rendre compte, ah non, ça non! Il faut respecter ses effigies, si on les supporte, avec peut-être plus de soin que l'on ne se respecte intrinsèquement soi-même. C'est le « B-a Ba » de l'orgueil. Et de l'humour.

« Je, me, moi... » Sifflotant de bonheur, la Bonne Dame de Honfleur jeta un coup d'œil par l'autre fenêtre : les vaches paissaient encore l'herbe rasée de l'hiver, le chien jouait avec son bâton comme un dégénéré, les arbres se déployaient sur le ciel, l'heure était calme. Sans idées, sans oiseaux. De toute manière, elle était plus susceptible d'être réveillée le lendemain par le cri des oiseaux que par le bouillonnement de ses idées. Elle dormait sans bouger, ici, son bras abîmé étendu près d'elle, de biais, comme une autre personne. En se réveillant le matin et le trouvant tout engourdi — car le pauvre était vraiment fracturé — elle avait envie de le consoler, voire de se serrer la main. Son indifférence résolue à la douleur physique et sa gentillesse non moins résolue à son propre égard inquiétaient parfois l'écrivassière. La schizophrénie, chauve-souris (calva sorices), volait bas, cette année-là. Il ne lui manquerait plus que cela. Car enfin, de même qu'elle se faisait faire des points de suture sans anesthésie avec une sorte de distraction, absolument pas simulée, de même n'avait-elle de cesse, pour lire, par exemple, de se constituer un petit nid rempli d'oreillers, de cigarettes, de Kleenex, un petit nid qu'elle ne jugeait jamais assez parfait, à la fin, pour ses beaux yeux.

La Bonne Dame d'Honfleur poussa un profond soupir : l'oiseau du soir, le premier, celui qui faisait « hulihuli-a », s'était déclenché. Le soleil avait disparu et elle avait soif. Elle n'avait pas travaillé. « Encore une journée de fichue », dit-elle à voix haute, mais quelque chose en elle, devant cette pelouse déjà assombrie, murmurait : « Encore une journée de sauvée. » La vie a de ces trêves, parfois, où l'on peut se regarder dans la glace avec un petit sourire mi-condescendant, mi-complice, sans autre exigence profonde que celle d'être vivante et bien dans sa peau, pendant que l'oiseau du soir fait « hulihuli-a ». Mais ces trêves sont rares : les tigres installés dans nos différents moteurs ont vite fait de se réveiller et de se déchirer entre eux.

12

— Le téléphone ne sonne pas depuis trois minutes, dit Sébastien. C'est délicieux. Vous ne trouvez pas, mademoiselle?

La secrétaire le regarda, indécise. Tous les collaborateurs de Robert Bessy prenaient des airs affairés, téléphonaient eux-mêmes si la sonnerie s'arrêtait et l'appelaient « mon petit » ou « Elisa ». Ce grand homme calme, nonchalant, ressemblait aussi peu que possible à un chargé de presse. Même sa courtoisie la déconcertait : il l'aidait à mettre son manteau, se levait pour allumer ses cigarettes, et semblait ignorer totalement le style « coup de vent », si bien vu dans la maison. Voilà trois jours qu'il était là et déjà le bureau avait changé. Les gens ne hurlaient plus, ne couraient plus et murmuraient « pardon » en se cognant dans les portes. Que dirait M. Bessy en rentrant de New York? De plus, les rares coups de téléphone que recevait ce M. Van Milhem étaient curieux : certains venaient de sa sœur et il lui parlait comme à sa maîtresse, et certains de Mme Jedelman, sa maîtresse, avec laquelle il prenait le ton d'un grand frère.

— Monsieur Van Milhem, dit-elle timidement, vous n'oubliez pas, à 6 heures, Bruno Raffet.

— Bruno Raffet?

Elle soupira. Bruno Raffet était le crack, le grand espoir de l'écurie Bessy. Il avait vingt-cinq ans, il était beau comme le diable, il avait du talent et les journaux de cinéma ne parlaient que de lui. Elle se leva, prit le dossier Raffet et le posa devant Sébastien.

— Peut-être devriez-vous le lire, dit-elle, il est assez connu et assez susceptible.

Sébastien sourit, ouvrit le dossier, admira le bel animal qui s'y prélassait.

— Il doit plaire aux femmes, non? dit-il.

Un long soupir le renseigna. Il détaillait le visage régulier, les yeux bridés, les dents éclatantes, cet air de loup soyeux qu'avait, même sur papier glacé, ce petit jeune homme. Un loup avide, de surcroît. Hélas, il n'avait vu aucun de ses films.

— De quoi suis-je censé lui parler? demanda-t-il.

Elle écarta les mains.

— Je ne sais pas... C'est M. Bessy qui l'a, euh... découvert, et il vient souvent ici pour, euh... lui demander conseil.

Elle avait un peu rougi. Sébastien se rappela les goûts de son ami Bessy et pensa que ce petit loup devait lui en faire voir.

— Quels conseils voulez-vous que je lui donne? dit-il gaiement. A part de continuer à se laver ses jolies dents deux fois par jour...

— Je ne savais pas où le joindre pour le décommander.

— Ça va être gai, dit Sébastien.

Effectivement, ce fut gai. Parce que Eléonore, passant par là, vint le chercher et qu'ils attendirent ensemble l'arrivée de la petite vedette; qu'Eléonore, de fort bonne humeur, fit mille frais pour la malheureuse Elisa, fascinée, et que les « collègues » de Sébastien vinrent l'un après l'autre se faire présenter à Eléonore — laquelle installée sur le bureau de Sébastien, une de ses longues jambes touchant terre, acceptait indifféremment leurs hommages. Une sorte de « bon ton », de gentillesse, de « cour Louis XIV » se mit à régner dans ces bureaux ripolinés où le seul souci avait été, jusque-là, l'efficacité, et la seule démonstration de respect, des claques dans le dos.

Cela n'empêcha pas le jeune loup d'arriver et de s'arrêter sur le seuil, étonné, un peu figé, humant l'air avant d'entrer. Sébastien le remarqua et en déduisit qu'il avait de l'instinct et que son physique n'était pas complètement usurpé. Bruno Raffet était en effet très beau : le teint mat, avec de subits afflux de sang comme un très jeune homme, le cheveu très blond — on avait envie de dire le pelage très blond — et de grandes mains un peu lourdes dont curieusement on pressentait qu'elles seraient fines et élancées à quarante ans, pour des raisons professionnelles. Il avait de plus une petite tache bleue dans le blanc de l'œil gauche, qui lui donnait par moments l'expression d'un animal qui chasse, comme si à force d'attention, d'affût, de guet, un vaisseau ayant sauté dans son œil, ce petit jeune homme arriviste était devenu une véritable bête de proie. Il s'enquit de Robert Bessy poliment, serra la main de Sébastien, l'air intrigué. Mais ce n'est que devant Eléonore qu'il broncha. Ce n'était pas une des starlettes qui encombraient le bureau de Bessy, ce n'était pas non plus ce qu'on appelle, actuellement, une femme du monde (c'est-à-dire une femme riche et dont on admet la richesse), ce n'était pas non plus une dame scénariste. Qu'est-ce que ça pouvait être? Et son frère, ce grand dadais à l'air distrait tellement déplacé en ce lieu qu'il se demanda soudain si ce cher Robert n'en était pas épris — ne l'aidait pas à comprendre quoi que ce soit.

Bruno Raffet avait eu avec Robert Bessy des rapports que l'on appelle couramment pédérastiques, du temps qu'il avait faim et soif, et aussi faim et soif de gloire que de sandwiches. Mais, pour lui, la notion de pédérastie était uniquement liée à une idée de confort. Quand il se réveillait chez un homme, il était sûr de trouver un rasoir électrique, une robe de chambre à sa taille, une certaine manière vigoureuse ou alambiquée de s'exprimer qui était toujours la même. En revanche, chez une femme, il se réveillait avec un plateau de petit déjeuner posé sur les genoux, une serviette en dentelle nouée au menton, des femmes de chambre admiratives, et il repartait de là pas plus mécontent, d'ailleurs, mais plus mal rasé. La sexualité avait donc eu jusque-là, pour Bruno Raffet, un côté purement « Arts Ménagers ». Doué, de plus, d'un bon tempérament, et lui-même, facile à satisfaire, ayant gardé un sommeil d'enfant et des réveils assez gais, il était le prototype de cette race, hybride jusqu'à trente ans, qui peut aussi bien se battre à mort dans un café pour une allusion parfaitement justifiée, ou soi-même se faire battre à mort pour le plaisir par un vieux monsieur ou une vieille dame aux cheveux roses. Produit incertain d'une époque incertaine, il n'avait qu'une certitude : c'est que l'argent qu'il mettait dans sa poche était à la fois désiré, volé et, en tout cas, à lui. Aussi, quand il se heurta à ce mur de gratuité qu'étaient les yeux d'Eléonore, le comportement d'Eléonore, il ne fut pas moins surpris que Christophe Colomb tombant sur ces bons sauvages en Amérique du Nord. Il était encore assez jeune, ou assez vulnérable, pour s'en étonner et c'est ainsi que Sébastien comprit qu'il allait souffrir. Il n'y a rien de plus affreux pour un jeune loup que de tomber sur la chèvre inaccessible et affectueuse de Monsieur Seguin — mais d'un Monsieur Seguin 1972, bien entendu. Il savait d'avance qu'Eléonore, même s'il parvenait à la mordre, ne chevroterait pas, et que le morceau qu'il emporterait d'elle, s'il y parvenait, lui laisserait dans la bouche un goût particulier et sans doute irremplaçable. Tout cela fut fixé entre eux dès qu'il la salua, mais tout cela ne fut enregistré sciemment que par Sébastien. Pour Eléonore, ce n'aurait pu être qu'un petit fauve de plus, mais ce qu'elle remarqua d'abord, et ce qui l'engagea dans cette affaire, ce fut cette minuscule tache bleue et cette légère taie sur l'œil. Elle lui prêta pour cela le caractère affectueux et maladroit d'un chien de son enfance. Eléonore maintenant, non pas à cause de son âge, mais à force d'expériences diverses, préférait de beaucoup les

chiens aux loups. C'est sur cette double méprise ani-
malo-sentimentalo-intellectuelle que leur intrigue se
noua. Pour en finir avec ce bestiaire, Sébastien, per-
ché derrière son bureau tel un grand hibou, semblait
s'engager implicitement à veiller sur leurs nuits et
leurs jours.

Aucun de mes héros ne se drogue. Que je suis
donc démodée! Mais quand on y pense, il est absolument comique qu'à notre époque, où tous les tabous, les grands tabous, sont abattus, où la sexualité — et ses corollaires — est une source de revenus
déclarables, où la fraude, le vol et la malhonnêteté
sont presque devenus des blagues de salon, les gens
se fassent taper sur les doigts pour une seule chose :
la drogue. Ils vous crient, bien sûr, que l'alcool ou
le tabac, c'est pareil, voire pire. Pour une fois, je me
rallierai à l'opinion des autorités, car, si l'on connaît
un peu ce milieu, il est évident qu'on ne se sort
de la drogue qu'une fois sur cent mille, et à quel
prix et avec quels dégâts! Les images d'Epinal que
l'on nous en offre le montrent bien — et les images
d'Epinal, dans leur naïveté, ont presque toujours plus
de vérité que les raisonnements abstraits. Entre un
joyeux ivrogne dans un bistrot, gras, titubant et ré-
pugnant, certes, mais comme on dit, la face enlumi-
née — autre image d'Epinal — et le jeune homme
maigre, seul, dans une chambre, les mains trem-
blantes et la seringue plongée dans une veine qui
saute, il y a un monde, ce monde étant l'absence
« des autres » : l'alcoolique se saoule ouvertement
et le drogué se cache. Au demeurant, je ne tiens pas
à faire le panégyrique de l'alcool ni attaquer la drogue au nom d'une morale, je ne m'attache qu'au
côté gai ou triste de la chose. Et puis l'essentiel n'est
pas dans cette différenciation, mais dans le fait cruel
et évident qu'un être humain, intelligent ou bête, sensible ou idiot, vivant ou atone, est généralement vic-

time aujourd'hui de l'un de ces trois dictateurs : l'alcool, la drogue ou la pharmacie (les tranquillisants). Comme si la vie n'était qu'une longue route savonneuse où l'on déraperait horriblement à toute vitesse vers un tunnel noir et inconnu, et où l'on essaierait désespérément de ficher des crampons qui claquent au fur et à mesure, que leurs noms soient whisky, librium ou héroïne. Tout en sachant que ce dernier crampon, l'héroïne, doit être remplacé plus vite que les autres et qu'il est moins solide. Absence de Dieu, pollution, manque d'idéal ou manque de temps, rapports hommes-femmes, faux confort, balali balala... la chanson explicative qu'on nous chante est bien aimable à entendre et presque rassurante dans sa monotonie. Mais enfin pourquoi vous, je, me, moi, nous, ils — telle une déclinaison épouvantée —, que nous ayons vingt ou cinquante ans, que nous soyons riches ou pauvres (et qu'on ne vienne pas me parler des paysans : la vente des tranquillisants a décuplé depuis deux ans en province et ce, dans les provinces les plus calmes), pourquoi nous retrouvons-nous toujours, à un moment quelconque, la main tendue non pas vers notre prochain, mais vers un tube, un flacon, une bouteille? Ce n'est pas la multiplication de l'angoisse qui m'inquiète : il me semble qu'elle a toujours existé et que les Grecs les plus beaux et les plus comblés et les plus érudits devaient, au bord de la plus belle mer du monde, à la plus belle époque de leur beau pays, s'arracher les cheveux, parfois, à quatre pattes dans le sable, et se ronger les ongles de terreur. Ce qui m'inquiète, c'est qu'aujourd'hui il leur suffirait d'un médecin compréhensif, d'une ordonnance, et de l'un des six mille ou dix-huit mille flacons de tranquillisants pour se calmer en dix minutes. Ce qui m'inquiète surtout, surtout, c'est l'idée qu'ils n'iraient même pas se rouler dans le sable : l'Equanil serait dans leur péplum...

13

Eléonore et le jeune homme dansaient dans une boîte de nuit...

Catastrophe! Qu'ai-je dit? Me voici retombée dans le petit monde de Sagan et des boîtes de nuit... En ce moment il est curieux, pour moi qui lis les journaux, de voir à quel point un auteur, qu'il s'appelle Troyat ou Jardin, ou n'importe qui, à l'instant où il fait entrer ses personnages dans une boîte de nuit, évoque aussitôt aux yeux des critiques mon joli nom. Il semblerait que je sois devenue l'Hélène Martini de la littérature. Quant au malheureux auteur qui aurait le culot monstre d'exalter les charmes d'une voiture de sport, je lui en souhaite... Les trois quarts des critiques sont affreusement hypocrites. Car qu'y a-t-il de plus agréable que de rouler au soleil dans une belle voiture découverte, ronronnante à vos pieds comme un tigre apprivoisé? Et qu'y a-t-il de plus agréable que de savoir qu'un whisky glacé vous attend au bout de ce golf, chez des gens aussi gais que vous-même, aussi dénués de soucis matériels? Qu'y a-t-il de plus normal, en définitive, que cette recherche, et cette trouvaille d'un lieu plaisant, sans difficultés immédiates? Oui, quels hypocrites, ces gens! L'argent n'est jamais infect dans la mesure où on le dépense, où on le jette par les fenêtres (quand quelqu'un passe dessous de préférence). Bref, dans la mesure où on en fait une chose clinquante, baroque, ridicule et naturellement : liquide. Le plus souvent, l'argent est infect par la façon dont on le gagne et surtout dont on le garde. Il m'amuserait bien que ces démagogues à la noix aillent dire le contraire à ceux qui savent la vérité : les gens qui voyagent en seconde classe ou en caravane ne préféreraient-ils pas mille fois débarquer dans la villa dont je parlais, avec ses glaçons et ses mimosas? Seulement, ils n'y sont pas invités pour des raisons que la justice réprouve mais qui font qu'ils ne pourront jamais supporter qu'on leur dise avec entrain que ce sont eux les justes dans l'affaire, et les bienheureux.

Donc, dans cette boîte de nuit, Eléonore dansait avec ce jeune homme blond promis à la plus grande destinée, celle de la gloire, de la fatigue, de la vieillesse et de l'oubli. Cette destinée superbe où l'on rencontre son visage dans des quotidiens que l'on méprise — au moins au début — et auxquels on en veut à mort plus tard de n'y plus figurer. Les comédiens sont un peu comme ça et souvent les écrivains, les peintres, les cinéastes, tous les gens qui ont été ce qu'on appelle « des têtes d'affiches », mais ayant, si l'on me passe ce mot, plus d'affiche que de tête.

Eléonore dansait donc avec Bruno et leurs gestes les poursuivaient à travers la piste et la musique glissait sur eux, les emmenait, et l'évidence du désir de Bruno, alliée à l'apparente indifférence d'Eléonore, leur indiquait des pas, des mesures, des figures qu'ils n'auraient jamais trouvés autrement, ensemble. Elle aimait bien se reculer par rapport à lui, elle aimait bien ses jambes dures contre les siennes et ce visage légèrement abasourdi qu'il avait, exprimant uniquement : « J'ai envie de vous. » Un peu plus loin que cela — un cela dont elle avait l'habitude — elle entendait la phrase effrayante : « Je ne réponds de rien. » Elle souriait lorsqu'il lui proposa de prendre un verre en bas, loin du bruit, loin de Sébastien qui palabrait avec Dieu sait qui. La dame du vestiaire était une amie de Bruno et il lui fit un signe qu'elle connaissait en descendant et il entra dans la cabine téléphonique avec Eléonore, la tenant d'une main par les épaules et, de l'autre, par la taille. Il avait un peu trop bu, il ne savait plus très bien qui elle était, ni ce qu'il voulait d'elle, surtout après ce dîner trop élégant, trop léger, trop gai pour lui, ce dîner de gens pour qui la vie et le plaisir de vivre étaient une habitude consommée. Cette femme, il voulait la choquer et la marquer. Mais quand il l'attira vers lui, c'est elle qui, en riant doucement, embrassa son cou moite et mit en même temps que lui les mains à sa ceinture. Les yeux d'Eléonore brillèrent dans le noir un instant, avant qu'elle ne referme ses trop longues paupières, et puis ils se laissèrent glisser, engloutir dans un univers de vêtements écartés, de mains tièdes, de gestes tendres, tout cela accompli avec une sorte d'adresse étonnante, parce que dénuée de cynisme et qu'il avait jusque-là totalement ignorée. Il se réveilla plus tard sur son épaule, les yeux clos, ou plutôt les yeux cloués par le plaisir (comme on cloue un hibou à un pieu), et il s'étonna qu'elle eût la bouche si fraîche. Eléonore, elle, regardait ce chevreau furieux et se disait qu'il y avait longtemps qu'elle n'avait pris un tel risque. Elle ignorait la complicité de la dame du vestiaire et elle avait toujours détesté le scandale. Mais il fallait bien apaiser ce garçon et elle savait que la seule manière de rassurer quelqu'un, c'était le plaisir partagé. C'est très simple, les gens après l'amour : une main sur un bras ou sur une hanche dans la nuit, le dormeur qui s'étire, soupire, se rendort. Il ne faudrait pas dormir seul. Vivre seul, à la rigueur, oui, mais pas dormir seul. Elle savait bien que le danger, ce n'était pas la vie crue, vécue, qui pouvait être dure, bien sûr, et parfois ennuyeuse — mais au moins cette vie-là ne nous obligeait pas à rêver, sauf en cas de passion (et là, c'est un combat, cruel souvent mais précis, tout au moins régi par des règles précises). En revanche, les rêves échevelés et les réveils hagards qu'elle connaissait à l'aube, le cœur tapant, l'inquiétaient beaucoup plus. Ces aubes navrantes dont parlait Rimbaud, qu'elle avait lu grâce à Sébastien et qu'elle connaissait mieux que n'importe quel poète. Elle n'avait pas peur de mourir, car mourir n'est rien en soi, ce n'est qu'une ultime dent de sagesse. Mais de la mort elle-même, elle se méfiait. Eléonore, dans ses rêves et, plus grave, dans les projections qu'elle s'en faisait, voyait la mort inexorable, vêtue de dentelle grise, avec un chapeau, un profil altier et riant poliment à des sottises comme toute personne décente dans un dîner qui traîne et d'où elle essaierait de filer gentiment, mais en vous emmenant. De là naissait sa révolte absolue : la mort était vraiment pour elle cette vieille dame indigne qui vient nous violer, lentement en cas de maladie, abruptement en cas d'accident, mais toujours avec cette intention de viol. Il n'y avait pas pour elle de mort héroïque. Personne ne peut mourir bien ni même délivré. On se cramponne à tout, y compris à ses tortures, même les personnes atteintes de cette « longue et douloureuse maladie » comme disent les journaux. (Curieux, on dit facilement dans la presse : « érection, bassin, hépatite, vessie » mais jamais « cancer ».) Cette fausse pudeur donne une légère nausée. Ah si, pardon, on peut parler du cancer du poumon : c'est le tabac. Enfin, pour une fois il faut le reconnaître, Eléonore, la belle Eléonore, l'indifférente Eléonore, Eléonore aussi lointaine que cette Princesse d'Aquitaine dont elle avait le prénom, redécouvrait en ce jeune homme inconnu dont elle méprisait, au départ, et le métier et les photos et les plaisirs et les soucis, redécouvrait en lui une chose si violente, si éperdue, si épouvantée qu'elle en était tout à fait troublée. Il y a des gens blessés, comme ça, avant même qu'ils n'aient pris des coups et alors qu'ils ont tous les atouts en main — et là, j'imagine qu'il faut remonter à Freud, à leurs petites mamans qui manquaient d'affection à leur égard, à leurs vilains papas couchés avec leurs petites mamans, et à eux-mêmes, dans le noir, les yeux écarquillés, écoutant le bruit du lit conjugal, bref à tout ce folklore parfois juste, mais le plus souvent assommant et, de toute manière, humiliant. Si, à quinze ans, je n'avais pas admis que mon père et ma mère s'étaient aimés aussi physiquement, j'aurais été non seulement une imbécile, mais *a posteriori* une belle ingrate.

Je commence à tout mélanger, Eléonore et moi, et sa vie et la mienne, et c'est normal puisque c'est mon propos, comme le verra le fidèle lecteur s'il parvient au bout de ce texte bizarroïde. Je laisse donc Eléonore, les genoux un peu tremblants dans cette cabine téléphonique, accrochée au cou d'un garçon qu'elle connaît à peine et dont elle apprécie l'impulsivité. Elle va dormir avec lui très vite, maintenant qu'elle sait son poids, son odeur, son souffle. Eléonore n'a jamais rien eu à voir avec les femmes évoluées — ce qu'on appelle les femmes évoluées. Pour elle, les hommes sont maladroits, attirants, inconsistants, nigauds ou attendrissants. Elle s'en moque du M.L.F. A travail égal, salaire égal, d'accord. Bien entendu, puisque, de toute façon, elle ne travaille pas. Ça l'ennuie, tout ça. Et puis les hommes dorment bien, ils dorment comme des chiens (de fusil) ou comme des hérissons, un peu contractés, ou comme des lions superbes, généreux et ronflants, mais toujours, si on les aime bien, avec ces gestes nonchalants de propriétaire qui leur font mettre le coude sur votre estomac et vous empêchent de dormir. Et nous, pauvres femmes, les yeux ouverts dans le noir, supportant sans broncher ce poids si proche et si dictatorial. Ah là, oui, cette jambe sur la vôtre pendant des heures et les fourmis qui en résultent, ah là, vive le M.L.F.! Seulement parfois, une main perdue, une main nue comme dirait Aragon, vient vers nous, enfantine ou tendre, et se cramponne à la nôtre. Les jeux de l'amour sont tous pareils, qu'ils soient puérils, enfantins, sexuels, tendres, sadiques, érotiques, chuchotés. Il faut juste comprendre, il faudrait avant tout *se* comprendre : au lit, en plein jour, à la folie ou pas du tout, à l'ombre, au soleil, au désespoir ou à table. Autrement, c'est fichu. Tout ça. Et ce peu qu'il nous reste à vivre, vivant, c'est-à-dire en plaisant encore, et le peu qu'il nous reste à penser (à faire semblant) dans ce stupide et immense coassement qu'est devenue la vie quotidienne, inéluctable, injugeable et inacceptable vraiment pour tout être bien né, ce peu, il faudrait penser avant tout à le partager. Parfois même je souhaite, oui, je souhaite la venue de cet avion gris acier, ce ronronnement inattendu et un peu trop fort, les visages étonnés et levés vers ce bruit, et le colis noir, à peine visible, qui tombera de cet avion. J'en arrive à souhaiter l'éclatement, le déchirement du ciel, de nos yeux, de nos tympans, et même cette infâme brûlure et ce cri primitif, grotesque à notre époque de progrès technique et qui sera forcément : « Maman! » La seule chose dont j'aurais peur, si cette horreur nous arrivait, ce serait d'être seule dans une maison vide. Mourir, oui, mais mourir avec le nez dans le cou de quelqu'un pendant que la terre saute ou se détériore à jamais. Il me semble que j'aurais un sentiment d'orgueil, de folie, de poésie..., l'occasion ultime et unique de savoir qu'il y avait chez moi une colonne vertébrale, un défi, une passion des autres ou de l'amour ou de ce que l'on veut et que Dieu n'y pouvait rien...

Je rêve, je rêve et je déraille, et puis flûte! je me sens dans un soir un peu lyrique, après deux jours de Paris avec des gens raisonnables, pratiques et tellement bien établis dans la vie qu'ils en meurent à toute vitesse, étant même, horreur, conscients de ce qui leur arrive. Il n'y a pas de farce possible pour eux. Tous les poètes étaient noctambules, alcooliques et détraqués. Vraiment, devrons-nous acheter des actions Shell et des machines à laver pour être bien considérés et pour être sûrs de mourir vieux? Et confortables dans le sein flétri de notre vieillesse? Ah non! Vive la vie des boîtes de nuit, et vive la joyeuse ou triste solitude de ceux qui s'y entassent! Vive la fausse et vraie chaleur d'une fausse et vraie amitié qui s'y noue! Vive la fausse tendresse des rencontres et vive, enfin, ce que tout le monde fait au ralenti et que nous, les nocturnes, faisons au grand galop, en accéléré : la découverte d'un visage, la liaison folle, l'amitié romanesque, le pacte de l'alcool remplaçant aux tempes le pacte du sang aux poignets! Nous ne sommes plus de bons Indiens. Et alors? Nous sommes des Européens fatigués. C'est pourquoi, pour revenir absolument et directement à mes moutons, à mes agneaux, à mes tigres ou, plus exactement, à ma tigresse, Eléonore, elle eut, ce soir-là, une seconde d'éblouissement devant le désarroi et la volonté de cacher ce désarroi qu'avait l'enfant mal poussé en graine, devenu à vingt-huit ans l'espoir n° 1 du cinéma français, Bruno Raffet.

14

Mars 72

Dans ce train, entre Deauville et Paris, je vois par
la fenêtre une chèvre paisible, littéralement assise
au bord d'un étincelant filet d'eau, seule. Plus loin,
trois hommes, torse nu, dont deux blanc porcelaine
et l'autre, bronze, très beau, qui font brûler les mauvaises herbes (et leur feu éclipsé par ce soleil pâle
mais qui n'en brûle que plus clair, tel un feu hémo-
phile...) Tut-tut, quelle jolie composition française!
J'eusse aimé que ma vie fût une longue et classique
composition française : citations de Proust tout le
temps, de Chateaubriand pendant les vacances, de
Rimbaud à dix-huit ans, de Sartre à vingt-cinq ans,
de Scott Fitzgerald à trente. J'en passe, bien sûr, et
trop, et trop délibérément. Ma vie est d'ores et déjà
une dissertation accélérée et bâclée, celle de la mauvaise élève, celle qui n'a rien su faire de ses citations, sinon, par moments, son propre bonheur, son
propre orgueil et ses réjouissances. En fait, je vis
si vite que déjà je ne distingue plus les mois ni les
années et que les gestes lents et les cigarettes étein-
tes de ces chemineaux-faucheurs me paraissent le
comble du luxe. Je vis, moi aussi, lentement, somme
toute, en ce moment. Mais j'ai l'impression qu'ils se
souviennent, eux, de chaque instant tandis que pour
moi ces six mois passés à travailler à la campagne
se transforment en une grande valse des instants,
bordée d'arbres noirs, puis vert sombre, puis vert
pomme, d'oiseaux d'abord discrets et frileux dans le

ciel beige, puis d'oiseaux bavards et vaniteux sur un ciel rouge au premier soleil de printemps. On va me croire bien sensible aux saisons (cf. ce livre : « Oh, quel automne, oh, quel printemps »), mais c'est qu'il n'y a pas eu d'hiver en 1971 sur cette patinoire glacée du temps, entre les deux saisons.

A plat ventre dans ce lit étranger et sachant que son dos était bien construit, doré et lisse à la main, Eléonore regardait l'un après l'autre les objets bizarres qui traînaient sur le plancher de la pièce. Il y avait des têtes en bois, plus ou moins africaines (plutôt moins que plus), il y avait quelques poteries, il y avait ce qu'elle discernait comme étant le sens du goût — plus précisément, l'idée du goût — chez ce jeune homme qui n'en avait pas. Il avait de l'instinct et aucun goût. Il faisait partie de cette espèce d'hommes qui vont relativement droit vers les êtres dont ils ont besoin, ou qui ont besoin d'eux ou qui simplement les attirent. Mais qui, devant un objet, restent les bras ballants, demandant des dates, des détails, des références qu'ils ne demanderaient jamais à quiconque de vivant puisqu'ils savent déjà (d'instinct) tout leur curriculum vitae. Pour Eléonore, qu'une certaine réputation d'esthétisme pédérastique entendue à propos de Bruno Raffet ennuyait assez — car rien ne la déprimait plus que le goût des collections chez un très jeune homme —, cette absence totale de discernement dans les achats sûrement très onéreux qu'il avait faits embellissait singulièrement la vie de ce nouvel amant. Elle voyait bien, dans cet appartement faussement excentrique, que ce n'était pas le bon goût d'un vieux protecteur qui avait tout ordonné, mais plutôt le mauvais goût de ce jeune homme qui avait tout jeté en vrac à l'admiration d'une foule ou méchante ou ignorante. Cela la faisait rire, mais d'un rire doux, apitoyé et presque tendre. Il dormait près d'elle, la tête entre les épaules, aussi peu détendu dans le sommeil que dans la vie et, un instant, elle le plaignit du fond du cœur d'avoir ce destin inexorable de carnassier. Il serait un jour, à moins de sombrer dans la panoplie, dans les rideaux de l'alcoolisme, de la drogue ou de Dieu sait quoi, il serait un jour un de ces hommes-chiens dressés à bondir aux museaux des Leica, des caméras de télévision, un de ces hommes-chiens qui, d'une certaine façon, comme leurs compagnes de travail, se mettraient sur le dos, agitant leurs pattes à la simple idée d'une photographie en première page. En attendant, il était beau dans la lumière du matin, entouré de ses fétiches venus d'un Burma de l'antiquaille, d'autant plus beau, d'ailleurs, que ces vieux bois étaient faux et que sa jeune peau était vraie, d'autant plus beau que l'effort intellectuel, dérisoire et si artificiel qu'il avait fait pour se saisir des vrais bois était manqué. Dans dix ans il serait ou pauvre ou raté ou, peut-être bien, cultivé. Et il ne devrait compter en fait que sur ce qu'il avait à la fois de plus irresponsable : sa peau, l'éclat de ses yeux, sa capacité amoureuse, et sur ce qu'il avait de plus bas : son ambition, son manque de scrupules et son sens du commerce, pour passer, si tout allait bien, d'un stade à l'autre — ce dernier stade étant qualifié de privilégié. Eléonore qui se moquait, pour les raisons que l'on sait, de tout cela, puisqu'elle avait tout reçu au départ, la culture, l'élégance et surtout la gratuité, savait aussi que tout cela n'appartient qu'à une race — pas noble dans le sens héraldique du terme — mais plutôt à ces gens de n'importe quel milieu qui, pour parler trivialement, sont toujours prêts à vider leurs poches; et elle se sentait prise d'une tendresse bizarre pour cet inconnu trop bien loti. Elle ne pensait pas une seconde qu'il pût la faire souffrir un jour. Il avait trop d'atouts, elle n'en avait plus assez, il tenait trop à ceux qu'il avait, elle ne tenait plus à ceux qui lui restaient. Dans les rapports passionnels, il faut bien considérer que le seul « Panzer » indestructible, le seul canon à très longue portée, la seule mine inévitable et en plus, horreur, la seule bombe qu'on ne puisse pas jeter à la tête des autres, celle qui, du même coup, prolonge affreusement le combat, c'est l'indifférence. Elle en avait derrière elle un stock suffisant pour ravager les champs meubles qu'étaient la poitrine de ce garçon et ses flancs, ses flancs semés de poils dorés comme autant de moissons; elle avait assez de canons fatigués pour viser droit ce cœur battant dans le noir, près du sien. Quant à la bombe dont elle ne se servirait, elle l'espérait, jamais, ce serait la simple petite phrase tellement usée à présent, son Hiroshima sentimental à elle : « Vous m'ennuyez. » Et ce vainqueur vaincu, en son grand sommeil d'enfant, avec ses cheveux blonds et ses mains refermées sur la joue dans un geste de défense instinctive, peut-être inspiré par elle ou par une vie antérieure qu'elle ignorait, lui donnait une sorte de mélancolie tendre à son propre égard. Il était temps qu'elle rejoigne Sébastien, son frère aussi lointain et aussi proche qu'on peut le rêver, cet incapable capable de tout, ce fou furieux si sage, cet indifférent si tendre, cet instable si sûr, ce paradoxe vivant, le seul homme, non pas qu'elle eût aimé, mais qui l'eût intriguée. Elle laissa le dormeur entre ses statues muettes, africaines et, par instants, effrayantes de méchanceté trop ancienne sur cette moquette trop neuve, elle laissa le beau jeune homme endormi, sachant qu'il se réveillerait très vite et, telle une héroïne de Cocteau, elle appela un taxi d'une voix sourde, celle dont on appelle à son secours un prêtre ou un voyou qui vous a aimée. Puis, ayant laissé sa voix romantique dans le récepteur du téléphone, elle descendit les marches en sifflotant un vieil air d'Offenbach, air qui ne correspondait même pas à son humeur mais qui l'obsédait tout à coup parce qu'il correspondait au bruit de ses pas dans l'escalier. Comme Sébastien deux mois plus tôt, elle fit quelques pas dans un Paris matinal éblouissant et bleu, pensant comme lui qu'elle était intacte, mais oubliant de se dire que, du fait même qu'elle se posait la question, elle ne l'était plus.

15

Dans ce petit matin-là, donc, ce petit matin qui n'avait rien de blême puisque l'automne était spécialement triomphant, c'était au tour de Sébastien d'attendre. Il avait bien vu Eléonore se laisser capturer ou, plus exactement, capturer ce jeune homme. Cela l'avait fait rire, d'abord, réfléchir ensuite; et, finalement, cela l'avait attristé d'une manière viscérale d'être seul dans cet appartement, comme un orphelin. Cela ne lui était jamais arrivé. Sans s'en rendre compte, il avait pris depuis six mois l'habitude d'être celui qui sort, et le fait d'être celui qui reste ou, plutôt, celui qui attend, lui était extrêmement pénible, comme une anomalie. Il prit un crayon et se mit à noter pour se distraire les différentes sortes d'absences qu'il connaissait. (Quand cela allait trop mal ou un peu mal, Sébastien avait la saine habitude de s'expliquer pourquoi et de l'écrire sur un petit papier.) Il fit donc un tableau précis de ce que l'on appelle les absences. Il nota :

1º L'absence, celle où l'on n'aime pas « X » mais où « X » ne vient pas non plus (cf. Proust). Et là, l'imagination peut commencer à rôder et à entraîner des conséquences imprévisibles allant de la passion subite à la désinvolture totale.

2º Celle où l'on aime « X », et où l'on sait que « X » vous aime et où « X » ne vient pas. Alors là, la folle du logis déjà nommée se déchaîne : « Est-il mort, en prison, accidenté, quelque part? » C'est ce que l'on appelle la vraie terreur sentimentale.

3° Celle où l'on sait que l'on aime « X » mais où l'on n'est pas sûr des sentiments de « X ». Là, ce n'est pas la terreur, mais l'horreur : « Où est-il? L'a-t-il fait exprès? Joue-t-il avec moi? Et à quoi? »

Cette énumération qu'il trouvait pertinente consola un peu Sébastien avant qu'il ne s'allongeât tout habillé sur ce lit de hasard, car, pour des raisons obscures, il n'eût pas aimé être déshabillé quand sa sœur rentrerait. Toujours son rôle, peut-être. Il essaya de ne pas entendre le hurlement de la solitude qui montait en lui quand il pensait à ce qui constituait l'essence de sa vie quotidienne : Nora Jedelman, à qui il ne rendait plus que des visites de commisération, ce travail auquel il ne pouvait pas décemment croire et maintenant cette absence physique de son alter ego, Eléonore. Non pas qu'il réprouvât ni même qu'une seconde il imaginât les plaisirs que devait à l'heure présente se dispenser Eléonore — il savait trop bien que le plaisir n'existe que dans l'amour, en tout cas le plaisir qu'il trouvait valable, et il savait trop bien aussi qu'il était hors de question pour le moment qu'elle aimât ce petit —, mais il aurait voulu qu'elle soit là, qu'ils commentent cette soirée, bref, qu'il ne soit plus seul. Ce hurlement, ce vrombissement plutôt de la solitude, devenait plus que gênant : obsédant. Et il sembla que Dieu lui-même aurait dû se boucher les oreilles, mais il y a beau temps que les oreilles de Dieu seraient bouchées s'il en avait. Entre les cris des enfants et ceux des adultes sous des bombes ou sous la faim, en ce siècle ou en un autre, ce malheureux et sadique vieillard aurait une belle crampe aux bras. Je hais l'idée de Dieu, de n'importe quel Dieu — j'en demande pardon à ceux qui y croient — mais enfin, pourquoi y croire? Etait-Il vraiment nécessaire? Ou alors, pourquoi fallait-il qu'Il se rendît nécessaire uniquement par compensation? Et pourtant, je le promets, je fus catholique, ramassant les images pieuses et chantant même, en 1943 dans un couvent, entre autres mélodies : « Plus près de Toi, mon Dieu » en même temps que « Maréchal, nous voilà ». Si j'y pense, je fus entre quatre et dix ans une enfant exemplaire, sage, saine, pieuse, croquant mes rutabagas comme tout le monde et chantant mes prières avec le même entrain que tous les enfants de mon âge. (Après, bien sûr, je fus moins saine, moins pure, la vie aidant et les rutabagas devenant introuvables.) Seulement il y eut une vision atroce, dans un cinéma où je fus emmenée par erreur, petite, à la campagne, et qui décida de la naissance en moi de quelqu'un d'autre... Je passe très vite là-dessus : c'était Dachau, ses bulldozers et ses cadavres, tout ce qui maintenant, chaque fois, m'oblige à me lever de table au moindre propos antisémite, à ne pas supporter certaines formes de conversation et même certains cynismes — et Dieu sait que le temps, ma vie et les gens que j'ai connus ont contribué à me créer un cynisme délibéré. Il est évident pour moi — et j'ai honte de le dire à une époque où tout le monde porte ses « bons sentiments » en bandoulière avec la même ostentation que les mauvais —, il est évident que je me ferais gaiement (gaiement, j'exagère, mais en tout cas délibérément) supprimer pour ne pas dire, ne pas faire ou ne pas laisser faire certaines choses. Il est évident aussi que je n'en ai pas pour autant la moindre estime pour moi-même, n'ayant jamais cultivé vis-à-vis de moi que le goût infernal et incessant de plaire. Jamais celui d'être respectée. Le respect m'est complètement indifférent, et cela tombe bien, d'ailleurs, car entre mes Ferrari conduites pieds nus, les verres d'alcool et ma vie débridée, il serait bien extravagant que quelqu'un me considérât comme respectable — à moins que, parfois, une phrase, dans un de mes livres, ne l'ait atteint et qu'il s'en souvienne et me le fasse savoir. Mais là, il me semble toujours que cette phrase, ce projectile affectif a été tiré par moi au hasard, comme par un fusil au canon coudé, et que j'en suis aussi peu responsable que de l'air du temps. Je ne pense pas qu'il soit si important pour quelqu'un de s'estimer ou de penser à soi comme à une entité, avec un signalement précis. Je pense seulement qu'il ne faut pas se mettre dans une position méprisable (j'entends très précisément, par « méprisable », une position où l'on puisse se mépriser soi-même). Je ne parle pas des autres, bien sûr. L'opinion des autres dans ce cas-là, c'est une sorte d'écume aussi vaine que celle qui s'amuse avec les rochers et ce n'est pas cela qui vous use. Ce qui vous use, c'est la vague : et la vague, c'est ce reflet de soi-même mille fois affronté abruptement dans quelque glace, et ce reflet est mille fois plus pur, mille fois plus dur que celui qui traîne, trop souvent attendri, dans le regard de ces fameux autres. Bien sûr, il m'est arrivé de me haïr d'une façon altruiste, si je puis dire, généralement parce que j'avais fait du mal à quelqu'un. Bien sûr, il m'est arrivé de me mépriser parce que je n'avais fait de bien ni à quelqu'un ni à moi-même. Bien sûr, il m'est arrivé d'être sur le sable, le souffle court et cherchant l'air du bonheur ou de ce que les Anglais appellent « self-satisfaction », comme un poisson cherchant l'eau. Et puis? La vérité, ce n'était jamais que moi, me haïssant parfois d'exister dès l'aube, comme c'était aussi bien moi paisiblement consciente de ma vie, de mon souffle et de ma propre main éloignée sur le drap, l'aube d'après. Mais, en tout cas, seule.

C'est un sujet un peu trop à la mode mais néanmoins fascinant que celui de la dépression. J'ai commencé ce roman-essai ainsi, par une description de cet état. J'ai rencontré quinze cas similaires depuis et je ne m'en suis tirée moi-même que grâce à cette bizarre manie d'aligner des mots les uns après les autres, des mots qui recommençaient tout à coup à jaillir en fleurs à mes yeux et en échos dans ma tête. Et chaque fois que je la rencontrais chez quelqu'un, cette dépression, cette catastrophe — car il n'y a pas à plaisanter là-dessus ni à parler d'oisiveté ou de laisser-aller — chaque fois, cette maladie m'accablait de tendresse. D'ailleurs, en y pensant, pourquoi écrirait-on, sinon pour expliquer aux « autres » qu'ils peuvent y échapper, à cette maladie, ou, en tout cas, s'en remettre? La raison d'être, absurde, naïve de tout texte, que ce soit un roman ou un essai ou même une thèse, c'est toujours cette main tendue, ce désir effréné de prouver bêtement qu'il y a quelque chose à prouver. C'est cette façon comique de vouloir démontrer qu'il y a des forces, des courants de force, des courants de faiblesse, mais que dans la mesure où tout cela est formulable, c'est donc relativement inoffensif. Quant aux poètes, mes préférés, ceux qui font joujou avec leur mort, leur sens des mots et leur santé morale, quant aux poètes, ils prennent peut-être plus de risques que nous, les « romanciers ». Il faut un joli toupet pour écrire : « La terre est bleue comme une orange » et il faut une gigantesque audace pour écrire : « Les aubes sont navrantes, toute lune est atroce et tout soleil amer. » Parce que c'est jouer avec la seule chose qui nous appartienne à nous, les fonctionnaires de la plume, les mots, leur sens, et c'est quasiment abandonner ses armes à l'entrée de la guerre ou décider de les tenir à l'envers en attendant, les yeux déjà éblouis, demi-éteints, qu'elles vous sautent au visage. C'est bien ce que je reproche aux gens du nouveau roman. Ils jouent avec des balles à blanc, des grenades sans goupille, laissant le soin à ceux qui les lisent de créer eux-mêmes des personnages non dessinés entre des mots neutres, et qu'ils s'en lavent ostensiblement les mains. Dieu sait que l'ellipse est séduisante. J'ignore quel plaisir certains auteurs ressentent en l'utilisant à ce point, mais c'est vraiment un petit peu trop aisé, peut-être même malsain, de faire rêver des gens sur des obscurités dont rien ne prouve qu'elles ont réellement fait souffrir l'auteur lui-même. Vive Balzac qui pleurait sur ses héroïnes, ses larmes tombant dans son café, vive Proust qui dans sa maniaquerie ne donne champ à aucun développement...

Après ce petit cours de littérature française, je vais revenir à mes Suédois ou, plus précisément, à ma Suédoise qui arpente de ses grandes jambes le pavé parisien et matinal, rentrant elle ne sait où, à ce « chez elle » qui ne veut rien dire dans sa tête, rentrant plutôt à ce « chez eux » qui veut dire : son frère. J'ignore encore pourquoi j'ai jeté Eléonore dans les bras de ce galopin. (C'est que, sans doute, j'ai du mal à imaginer les conséquences de cette péripétie.) C'était peut-être parce que j'aime étirer mon histoire ou que, mue par une jalousie exotique chez moi, je commence à être légèrement énervée par son intégrité et sa manière de se défendre en amour, usant d'une technique aussi implacable et souveraine que celle du « close-combat » chez Modesty Blaise. On n'admire pas ses héros ni ses héroïnes, on ne les envie même pas, car ce serait une opération complètement masochiste et le masochisme n'est pas mon fort. Ni mon faible. Néanmoins, Eléonore me snobe. C'est vrai, à la fin : je voudrais qu'elle morde la poussière, qu'elle se roule dans un lit, transpire en se rongeant les poings, je voudrais qu'elle attende des heures près du téléphone que ce petit Bruno veuille bien l'appeler, mais sincèrement je ne vois pas comment faire pour l'amener là. La sensualité, chez elle, est maîtrisée dans la mesure où elle se permet tout et la solitude neutralisée par la présence de son frère. Et son ambition est nulle. Je finirai par être du côté de Bruno Raffet qui, étant ce qu'il est, reste vulnérable. Il m'est souvent arrivé, d'ailleurs, de préférer des gens médiocres à des gens dits supérieurs, uniquement à cause de cette fatalité qui les faisait se cogner comme des lucioles ou des papillons nocturnes aux quatre coins de ce grand abat-jour que peut être la vie. Et mes essais désespérés pour les attraper au vol sans leur faire mal, sans friper leurs ailes, pas plus que mes tentatives grotesques pour éteindre l'ampoule à temps n'ont jamais servi à grand-chose. Et un peu plus tard, que ce soit une heure, dans le cas des insectes, ou un an, dans le cas des humains, je les retrouvais collés à l'intérieur de ce même abat-jour, aussi avides de s'étourdir, de souffrir, de se cogner que lorsque j'avais essayé d'arrêter leur misérable carrousel. J'ai l'air peut-être résignée mais je ne le suis pas, ce sont les autres : les journaux, la télévision, qui le sont. « Oyez, oyez, bonnes gens. Tant pour cent de vous vont mourir en voiture bientôt, tant pour cent d'un cancer à la gorge, tant pour cent de l'alcoolisme, tant pour cent d'une vieillesse minable. Et ça, on peut vous le dire, les gazettes vous auront bien prévenus. » Seulement, pour moi, je crois que le proverbe est faux et que prévenir, ce n'est pas guérir. Je crois le contraire : « Oyez, oyez, bonnes gens, c'est moi qui vous le dis, tant pour cent de vous vont connaître un grand amour, tant pour cent vont comprendre quelque chose à leur vie, tant pour cent vont être à même d'aider quelqu'un, tant pour cent mourront (et bien sûr, cent pour cent mourront), mais il y en aura tant pour cent avec le regard et les larmes de quelqu'un à leur chevet. » C'est là, le sel de la terre et de cette fichue existence. Ce ne sont pas les plages qui se dévident dans des décors de rêve, ce n'est pas le Club Méditerranée, ce ne sont pas les copains, c'est quelque chose de fragile, de précieux que l'on saccage délibérément ces temps-ci et que les chrétiens appellent « l'âme ». (Les athées aussi, d'ailleurs, sans employer le même terme.) Et cette âme, si nous n'y prenons pas garde, nous la retrouverons un jour devant nous, essoufflée, demandant grâce et pleine de bleus... Et ces bleus, sans doute, nous ne les aurons pas volés.

16

Eléonore était née comme la plupart de nous, dans
le noir, avec les draps du lit de sa mère rabattus
sur sa tête et comme nous tous, cette bande de
petits chats-huants que nous sommes, elle avait tenté
de s'en découvrir le plus tard possible. Comme elle
n'était pas pauvre, on ne lui avait pas arraché bru-
talement les draps de la tête à un âge trop jeune
et elle avait eu tout loisir de se faufiler lentement
vers ce qu'on appelle la lumière ou la vie. Seulement
elle n'était jamais arrivée en pleine lumière. Elle
avait commencé à rabattre les draps et à retomber
dans le noir et ses conforts, bien avant la date que
son physique et ses qualités intrinsèques pouvaient
laisser espérer. En fait, sans Sébastien, elle n'aurait
plus eu avec la vie que des contacts épidermiques,
à la fois figés et débridés, et le plus possible éloi-
gnés de toute crudité et de toute vérité dure, que ce
soit la misère, la passion ou la violence. Cette rêveuse manquait d'imagination. C'est ainsi, d'ailleurs,
que s'expliquait sa tendresse pour les livres et sa
dureté envers ses amants. Les chats l'aimaient plus
que les chiens. Ils reconnaissaient en elle cet infini,
cette chaleur morte, cette sorte de vie brûlante et
atone qu'ils partageaient avec elle. Bruno Raffet,
qui n'était pas du tout de cette race, mais au
contraire de la race à jamais affamée, insatisfaite
et, à l'occasion, féroce, des loups, n'était pas en âge

de le comprendre. Pour en finir avec cette comparaison une fois de plus animale, s'il y avait eu un feu quelque part et que leurs caractères aient été réduits à leur état le plus élémentaire, Eléonore s'en serait approchée en ronronnant et Bruno aurait fui, les babines retroussées. En attendant, ils roulaient ensemble dans une voiture découverte, élégants et beaux comme deux images, allant déjeuner dans une auberge près de Paris, et Bruno, qui avait peu l'usage, de ce genre de femmes, avait adopté un style qui exaspérait prodigieusement Eléonore. Il avait jeté, gentiment d'ailleurs, mais « jeté » ses clés au pompiste, il avait donné des coups de pied connaisseurs et amicaux à chaque pneu, il avait tapoté, d'un air responsable, les divers cadrans de son petit bolide anglais, il était même allé jusqu'à conseiller à Eléonore d'allumer ses cigarettes avec l'allume-cigares. Or, elle trouvait inconcevable qu'un homme ne s'arrêtât pas en pleine autoroute pour lui allumer sa cigarette. Elle trouvait inconcevable qu'on jetât ses clés au pompiste ou, d'ailleurs, à tout être humain au lieu de les lui poser tranquillement dans la main, elle trouvait ridicule cette pantomime de pilote que, dans son euphorie, il jouait pour elle; en fait, elle se demandait presque pourquoi il n'avait pas crié « hue cocotte » en démarrant. Pour tout arranger et malgré le vent trop violent qui défaisait le maquillage d'Eléonore, il s'était mis en tête de trouver des airs entraînants ou de la belle musique sur son poste de radio dont on devinait qu'il serait inaudible, une fois dépassé le cent vingt kilomètres-heure. L'ennui d'une certaine vulgarité (même si chez Bruno Raffet, elle révélait plutôt l'enfance) c'est qu'elle ressort brusquement par rapport à un objet possédé et dont on veut à tout prix faire partager le charme à quelqu'un qui s'en moque. Bruno ignorait ses masques africains et son indifférence évidente lui avait rallié Eléonore, mais il aimait sa voiture et, aux yeux d'Eléonore, il l'aimait mal. Elle avait eu beaucoup de chevaux dans son enfance. Elle n'avait jamais pensé à leur tapoter la tête ni à leur donner du sucre. Elle avait simplement pensé à ménager leurs bouches et à les aider dans leurs allures. C'était pour elle le meilleur moyen de rendre grâce à leur beauté, à leur vigueur et à leur indifférence. Elle n'allait pas, dix ans après, s'extasier sur un tableau de bord. C'est donc de fort mauvaise humeur qu'elle se mit à table dans une auberge mal fréquentée à ses yeux, c'est-à-dire par des gens qui parlaient trop fort ou trop bas et qui faisaient de cet endroit anodin, ou qui essayaient d'en faire un lieu soit de prestige, soit de mystère. Bruno, pour qui tout allait bien et qui se trouvait même admirable d'inviter à déjeuner, le lendemain du jour où il l'avait « eue », une femme qui ne lui servirait à rien, Bruno, qui se sentait le jeune seigneur du lieu et de la route et de sa proie, Bruno ronronnait. Il lui tendit la carte d'un geste noble et prit même l'air patient, voire un peu excédé de l'homme qui sait que les femmes hésitent longtemps à faire un choix, étant donné qu'elles pensent à la fois à leurs goûts et à leur ligne. Son attitude n'était pas destinée uniquement à Eléonore mais à toutes les têtes de l'établissement qui avaient immédiatement reconnu le célèbre Bruno Raffet et il regardait ses mains avec la discrétion et le sourire indulgent indiqués plus haut. C'est pourquoi il fut surpris de voir les yeux gris et impavides d'Eléonore détailler son manège et plus surpris encore quand elle lui rendit le menu, comme on tend un cache-nez à un enfant, avant de se lever et de disparaître. Il n'eut que le temps de repousser sa chaise, car son imprésario lui avait dit que cela se faisait, et de se rasseoir — supposant dans son euphorie de propriétaire qu'elle était allée se donner un coup de peigne. « Peut-être avait-elle un peu mal au cœur, il avait conduit trop vite, mais que faire avec 300 chevaux tous seuls sous un capot et cette autoroute pour une fois dégagée? Les Suédoises étaient pourtant censées avoir un cœur bien accroché. » Au bout de dix minutes, il commença à s'énerver de découvrir une forme de vie qu'il ignorait. Il était passé, non sans mal (à travers quels lits et quelles embûches!) du stade du petit garçon hargneux, maladroit et avide, au stade encore récent de jeune homme blasé. Ce manque de temps, si l'on peut dire, entre les deux états, fit qu'il s'affaira, qu'il secoua presque le maître d'hôtel, qu'il interrogea trop vivement la dame du vestiaire, qu'il courut jusqu'à sa voiture, et qu'il revint aussi vite téléphoner à Paris, sous les yeux amusés du barman, déjà renseigné. A ce moment-là, ignorant tout des raisons de son abandon, il aurait pu prendre le parti de l'oublier. Dans l'espèce d'horlogerie où l'avaient introduit ses impresarii, les journaux et ses conquêtes, il ne devait pas y avoir la moindre faille, que ce fût par rapport à un contrat ou à une femme. Mais Eléonore était partie en taxi et cela le rejetait trois ans en arrière, à l'époque où il avait peur et faim et soif, à l'époque où la vie n'était pas, comme maintenant, que ce qu'il voulait bien qu'elle soit. Et comme dans les histoires qu'il avait lues, histoires dont le héros lui avait toujours paru un pauvre type, il reprit sa voiture et fonça vers Paris, chez elle. Ce fut Sébastien qui lui ouvrit, en chandail. « Oui, dit Sébastien, elle est rentrée, oui, elle a eu trop de vent, oui, vous savez, elle n'aime pas les auberges rustiques, oui, vous savez, parfois elle ne sait pas s'expliquer, oui, elle dort. » Alors il eut l'impulsion qui le sauva, il bouscula presque Sébastien qui prit un air sceptique et indulgent, ouvrit la porte et trouva Eléonore, allongée sur le lit, qui lisait paisiblement *Les Aventures de M. Pickwick*. Des souvenirs, des récits de ses amis lui revinrent en tête pendant qu'il la regardait et il se dit que, là, il devait montrer qui était le maître. Une femme, on la rosse une bonne fois et elle comprend. Ou alors il aurait fallu ne pas marquer le coup et jouer le bel indifférent, mais c'était trop tard puisqu'il était revenu et qu'il était là, tremblant de colère et de peur, au pied de son lit, dans cet appartement minable mais qui était devenu pour lui tout à coup le pire des châteaux forts et le mieux défendu. Il n'avait plus qu'à attendre le verdict, qui arriva aussitôt.

— Tu en as eu assez de cet horrible endroit, toi aussi, dit Eléonore. Ecoute, j'en suis à l'endroit du livre où Pickwick et ses amis sont sur le champ de bataille pendant une manœuvre. Je crois que je n'ai jamais rien lu d'aussi drôle de ma vie.

Et comme il la regardait, encore hébété par le vent, la colère et la stupeur, elle tapota gaiement l'oreiller près d'elle et lui désignant un passage du doigt le força presque à s'allonger. Il n'avait jamais lu Pickwick et quand son cœur fut calmé et qu'il put comprendre les phrases qu'elle lui lisait d'une voix basse, entrecoupée de rires, il finit par rire aussi, par se blottir contre elle, parfaitement détendu, et il passa ainsi l'un des meilleurs après-midi de sa vie. Comme ils avaient faim, vers 5 heures, Sébastien qui ne semblait pas décidé à jouer l'imprésario ce jour-là, leur confectionna des spaghetti.

17

Il peut sembler bizarre de commencer un chapitre par un *Nota bene* mais, quand même, une chose m'inquiète depuis hier soir où je l'ai remarquée : pourquoi dans tous les romans policiers, dès qu'un homme traqué refuse dans la rue les bons services d'une prostituée, lit-on : « il la repoussa »? Et chaque fois la malheureuse l'insulte. Les prostituées ont-elles tellement de dépit, de vanité; ou alors, les hommes prennent-ils plaisir à l'idée qu'en se refusant, eux-mêmes ou leur argent, à des femmes dont c'est le métier (et, j'imagine, un métier souvent accablant) celles-ci doivent en concevoir quelque hargne, rogne, grogne? Je l'ignore. De toute façon, c'est, je l'ai dit, un problème secondaire mais amusant. Quand je dis « secondaire », je n'en suis pas sûre. Je crois que les hommes aiment bien être désirés par n'importe qui et pour n'importe quoi, même si cela doit alléger légèrement leurs poches. Les femmes aussi, d'ailleurs. Mais les femmes, c'est plus normal : elles sont encore, quoiqu'on puisse dire et faire, « l'objet »; un objet, finalement, c'est calme, c'est pratiquement invulnérable, et d'autant plus invulnérable que cela n'attaque pas. Mais ces grands enfants mâles, nos maîtres, nos Samsons que l'on veut priver de Dalilas — car enfin il est évident qu'en dehors de leur force, c'est bien nous qui leur couperons les cheveux en même temps que leur cœur — je trouve qu'on les maltraite fort dans les gazettes actuellement. Si je comprends bien : a) ils gagnent de l'argent pour leur foyer — mais de toute façon, c'est injuste puisqu'ils en gagnent plus que les femmes; b) ils conduisent leur voiture avec leur femme, trois enfants et un chien, durant les week-ends, et c'est très dangereux pour leurs femmes; c) ils font l'amour, bien sûr, mais d'une part, c'est semble-t-il surfait — voir *Marie-Claire* (*Marie-Claire* soi-même qui explique le peu d'importance de leur sexe dans l'affaire); d) et, d'autre part, si jamais il y a un « ennui », qui va en souffrir? Ce n'est pas eux! Et c'est fort injuste pour nous, même si nous avons oublié de prendre cette chère pilule avec le café au lait; e) ils trompent leurs femmes, ils boivent, et finalement préfèrent souvent se retrouver entre amis, ce qui est, paraît-il, un signe de mépris total pour nous; f) ils ont acheté une télévision et ont une tendance fâcheuse à s'effondrer devant, et bien que nous les ayons plus ou moins obligés à l'acheter, c'est un signe d'ennui. Et puis, quand même, on leur demande peu de chose, en fait : ne pas trop jouer l'homme dans la vie mais l'être vraiment, et puis remarquer quand même qu'on a une robe neuve et s'en réjouir et nous en désirer davantage. Quant à l'idée que nous les rassurions, nous, sur eux, il ne faut pas tellement qu'ils y comptent. Ils ont eu deux mille ans, même s'ils sont nés il y a trente ans, pour nous oppresser, nous empêcher de faire de grandes choses et il est apparemment temps qu'ils le payent. Naturellement je plaisante, mais autant je déteste l'ostentation virile de certains hommes qui, il faut bien le reconnaître, ennuient généralement les femmes (aussi bien la nuit que le jour), autant je dois dire que, parfois, surtout ces temps-ci, cette petite complainte tendre et ahurie de certains hommes commence à me faire de la peine. Que cette manie de s'exprimer en généralités est excédante! Ce n'est pas l'homme avec lequel on vit qui décidera du salaire « égal », pas plus que ce n'est lui qui décidera du nombre d'enfants que nous aurons envie d'avoir, pas plus que ce n'est lui qui représente le symbole de cette fameuse lutte homme-femme dont on nous rebat les oreilles. Il est trop facile, à ce sujet, d'évoquer des ridicules et Dieu sait qu'il y en a, et des deux côtés, mais il me paraît fâcheux, stupide plus exactement, qu'à la faveur de certaines théories, donc d'abstractions, deux personnes jusque-là liées dans le concret en arrivent à des discussions complètement hors de propos et sans vie.

D'ailleurs qu'est-ce que je dis? Ou bien un homme et une femme se complètent intellectuellement et peuvent se dire pourquoi ils aiment un article dans le journal ou un poème ou une musique ou un cheval de tiercé (et Dieu sait que c'est rare après quelques années cette envie de parler ensemble!) ou leurs rapports ne sont que passionnels. « Où es-tu? Qu'as-tu fait? Je ne t'aime plus. Je t'aime. Je m'en vais. Je reste. » Ça mènera à quoi, ces théories : séparer en deux l'espèce humaine sous prétexte de la réconcilier, de l'unifier, ou de la mettre sur le même niveau, alors qu'on sait que ce niveau est toujours atteint, manqué ou dépassé par certaines femmes ou certains hommes qui avaient plus ou moins de force ou de faiblesse que les autres et que, finalement, c'est dérisoire. J'ai vu des brutes aimées par des femmes sensibles, des femmes féroces aimées par des hommes tendres, etc. Je n'ai jamais pensé que cette notion d'égalité sexuelle puisse être valable : en dehors naturellement du salaire des gens et des discriminations, pour ainsi dire raciales, qui existent et existeront, je le crains, longtemps encore entre eux. Si l'on admet que tout rapport humain est basé sur une inégalité fondamentale — inégalité asexuée, au demeurant, et qui est résumée je crois, de la manière la plus précise et la plus féroce par Huxley : « En amour, il y en a toujours un qui aime et l'autre qui se laisse aimer », et si l'on admet cette cruelle mais inéluctable vérité, on devrait comprendre que ce n'est pas cette inégalité des sexes qui est la vraie question. Et c'est là où plein de femmes intelligentes et de bonne foi se laissent prendre. La vérité, c'est que le couple, les gens, la foule sont parfaitement abrutis par un mode de vie destiné à les abrutir et qui, même s'il n'était pas *destiné* à le faire, y arriverait. Et qu'alors, bien entendu, selon les systèmes en vigueur — qui sont des systèmes de *diversion* — on se débrouille pour faire passer au compte de la différence des sexes l'épuisement partagé d'un couple. Car enfin qui, homme, ou femme, peut rentrer chez lui, chez elle, chez eux après tant d'heures de travail sans avoir autre chose que faim, soif ou sommeil? Sinon, peut-être, dans la première année de leur cohabitation... (De même a-t-on voulu travestir le refus profond et à mon sens motivé d'une génération de jeunes gens, assez éveillés, parce que ce refus était celui d'un avenir dont aucun quadragénaire de bonne foi ne voudrait.) Ah, on les entend assez se plaindre, nos bruyants quadragénaires : « Ah non, les plages ne sont plus les plages! Il n'y a plus de campagne! Il n'y a plus de liberté! » Et si on leur offrait une jeunesse à nouveau, croyez-vous vraiment qu'ils choisiraient celle de leurs enfants? Elle leur paraîtrait insupportable. Ils demanderaient une marche arrière de ce grand *tape-recorder* qu'est l'existence et ils repartiraient au même point d'où ils étaient venus. Et ce n'est pas un manque de curiosité ni un goût du passé qui les dicte, c'est l'horreur profonde d'un avenir dont tout laisse à croire qu'il ne va pas être drolatique. Et alors là — même système de diversion —, ils expliquent que cette génération aime la violence, qu'elle ne veut rien reconstruire à la place de... et que même l'amour ne l'attire pas. Moi, pourtant, j'ai vu de très jeunes gens, très passionnés, d'une manière plus que romantique, seulement ça, on ne le leur accorde pas : « Les sentiments, vous permettez, c'était ma génération, c'était moi qui lisais Balzac et les classiques, et si mon fils pleure dans son lit, c'est parce qu'une petite putain, qui s'envoyait d'ailleurs tous ses copains, lui a fait une crasse. » Quant à l'érotisme : « Ces pauvres enfants ne savent pas ce que c'est, tandis que nous, à vingt-cinq ans, tu te rappelles, Arthur, on ne s'ennuyait pas? » Il faut quand même se mettre dans la tête, chers bourgeois de tous les âges et de tous les milieux (car au sujet de l'amour, les Français, considérant leur glorieux passé, sont dix fois plus nationalistes que n'importe quel pays), il faut bien se rendre compte que l'amour entre des gens de vingt ans, ce n'est pas seulement le contact de deux épidermes. Ce qu'il faut absolument admettre, c'est que ces petits loups, avec la même nécessité intérieure, veulent aussi la chaleur, la poésie — ces désirs étant peut-être plus vite engloutis sous les draps que du temps de leurs aînés, mais tout aussi impérieux.

De toute façon, et Dieu merci, ce n'est pas ce gouvernement ni les suivants qui feront de ces jeunes gens ce qu'ils seront un jour. Leurs racines ont déjà poussé et leurs racines, c'est la dérision, le mépris et, malheureusement, pas encore l'espoir. C'est bien facile, de leur dire : « Vous verrez, à notre âge, vous serez payés tant pour un poste de sous-chef et vous paierez tant pour une AMI-6, vous verrez comme on aura vite fait de vous bâillonner et si ce n'est pas nous, ce seront les circonstances, l'argent ou plutôt le manque d'argent. » Mais il me semblerait plus normal, ou plus tendre, de la part de leurs aînés, de dire : « Allez-y, amusez-vous, mais ne cassez pas la figure de vos professeurs ni celle de vos copains — parce que vraiment la violence est un phénomène irréversible, qu'elle est avant tout bourgeoise et que, l'utilisant, vous tomberiez dans la même chienlit que nous. Allez plutôt voir ailleurs, allez vous promener très loin puisque vous en mourez d'envie, oubliez les folklores, allez voir les Hindous avec ou sans haschich, c'est très faisable, allez voir aussi les Anglais et, à moins que vous n'en ayez pas envie, jouez avec la terre puisque depuis peu son étendue vous est offerte pour quelques dollars et peu de temps. » C'est difficile à dire à ces enfants nerveux, compliqués et souvent déjà englués. Mais s'ils sont englués, il faut bien se dire qu'on les a laissé faire et que, dans ce cauchemar des vingt dernières années, il n'y avait rien qui puisse les drainer hors d'eux-mêmes. Pas plus que nous. Mais ce n'est plus à nous de gémir, et Dieu sait que nous ne nous en sommes pas privés. C'est à nous d'aider. Amen.

Catastrophe!... Je me rends compte avec horreur que j'ai oublié complètement un personnage en route : ce pauvre homme fasciné par la nuque d'Eléonore, rue Pierre Charron et qui devait jouer dans sa vie un rôle bizarre et obsédant. Le voilà oublié et j'ai beau essayer de m'y intéresser, je vois bien qu'il ne tiendra pas la distance. Après tout, tant pis. Quels qu'aient été mes desseins machiavéliques, il aura été un homme qui regardait fixement, dans un restaurant ensoleillé, le profil d'Eléonore. Son rôle s'arrête là. N'importe qui peut perdre des figurants en cours de route, mais celui-ci, par politesse et avant de le rayer à jamais de mes papiers, je lui donnerai un nom : il s'appelle Jean-Pierre Bouldot, il est employé de banque depuis vingt ans, fort mal payé et, comme on dit, bon citoyen. Il paye ses impôts à temps, non sans difficulté, sa femme est tiède, ses enfants plutôt médiocres et il prend le métro tous les jours à « Auber ». Il a escompté un moment que les changements de ce métro l'intéresseraient du point de vue technique car enfin, il a manqué être ingénieur. Il a espéré que les rapports humains en seraient simplifiés et que ce serait pour lui une sorte de fête d'en descendre les marches tous les matins et de les remonter tous les soirs. Malheureusement, c'était un peu trop compliqué, un peu trop abstrait et ses enthousiasmes exprimés à voix haute n'avaient trouvé aucun écho auprès des autres passagers. Maintenant, néanmoins, il réussit à se débrouiller; il vit le ticket de métro entre les dents et il arrive chez lui le soir, à l'heure pour, selon les circonstances, apaiser ou gifler ses enfants. Le jour où il rencontra Eléonore, il avait été coincé par tant de portillons, il avait pris tant de mauvaises correspondances, il avait tant transpiré et s'était tant essoufflé dans ce dédale devenu pour lui la pire des pampas dans le plus atroce des westerns, qu'il était descendu, vaincu, aux Champs-Elysées. Et là, bénéficiaire, certes, du progrès mais n'imaginant pas vis-à-vis de son chef de bureau, Monsieur Colet-Roillard, une autre excuse que la grippe (excuse qui, en tout cas, lui interdisait l'accès du bureau pour l'après-midi), il avait décidé de déjeuner dans un snack-bar, rue Pierre Charron. C'est là qu'il avait vu Eléonore comme on voit quelqu'un qu'on a toujours connu, et dont on sait qu'on ne le connaîtra jamais. Longtemps après, ayant rêvassé entre ces stations du métro qui étaient son trajet habituel et cette trajectoire inexorable qu'était son destin, il avait bien fini, au moment où j'en parle, par l'oublier complètement, l'Eléonore. Exit Jean-Pierre Bouldot.

18

En attendant, Bruno était bien heureux. Il s'était introduit dans le camp Van Milhem. Il était à la fois raillé et soutenu par Sébastien qu'il amusait assez et accueilli par Eléonore qui se bornait sans doute à ne lui donner que son corps. Mais quand il s'éveillait près d'elle et qu'il tentait de la réveiller à son tour, à petits coups de tête interrogatifs et tendres, il s'émerveillait de la voir s'étonner, bâiller et se retourner contre lui, ventre plat contre ventre plat, dos plat contre dos plat sous leurs mains, et il s'émerveillait aussi de l'accélération de son souffle — chose qu'il ne pouvait provoquer que par ses gestes. Car aucun de ses mots, de ses pensées ne semblait vexer, attendrir ou humilier Eléonore. Blotti contre elle, le sang chaud, il attendait paisiblement, sans le savoir, qu'elle le chasse. C'est alors que Robert Bessy revint de New York. Il y avait passé trois semaines difficiles, les affaires avaient été dures et il avait dû se gaver pour les besoins de la cause, de différents tranquillisants. Il rentrait à Paris désemparé, comme il en était parti. C'est-à-dire : petit, gros et peu sûr de lui. La seule pensée qui le réconfortât, c'était celle justement de ses amis Van Milhem, ces beaux Van Milhem que n'effleurait pas un instant le vent des dollars, et de ce Bruno un peu trop beau, un peu trop fou et qu'il avait, à force de patience et de concessions, amené assez haut. Son sentiment pour lui était parfaitement élégant dans la mesure où il n'en attendait rien, jamais, de passionnel et où, du même coup, il en était devenu lui, Robert Bessy, à quarante ans, aussi tendre et désespéré qu'un enfant en bas âge. Il n'y avait personne à l'aéroport, mais il y avait un message pour lui dans son appartement, cet appartement de la rue de Fleurus au-dessus duquel avaient habité Eléonore et Sébastien, cet appartement qu'il avait conservé parce qu'il avait été le lieu de ses premières rencontres avec Bruno, cet appartement maintenant désert, sans vie, sans fleurs, mille fois plus désespérant dans son côté anglais que l'actuel et désertique local des Van Milhem. Il y a une forme de confort, de luxe et de bien-être qui n'est peut-être supportable que si l'on est deux ou dix à la partager et qui, dans le cas de Robert seul, devenait féroce. A quoi servaient ces deux fauteuils Regency près d'un feu éteint, à quoi servait cette vue ravissante sur les toits, à quoi servait cette kitchenette parfaitement installée d'un point de vue électro-ménager, à quoi servait ce valet où il accrochait son manteau, à quoi servaient ces bagages avec leurs rêveuses étiquettes « TWA » « NEW YORK » « PARIS » et surtout, à quoi servait son visage dans la glace, ce visage mal rasé et dont il n'avait jamais aimé la barbe? Il essaya d'attribuer tout cela à ce fameux décalage horaire qui est, comme on sait, une excuse toujours répétée par les gens qui voyagent. Astronautes minables, ils ont vite fait de confondre les carences de leur sang avec les grands poncifs du siècle : la distance, l'heure, la fatigue nerveuse. Bref, il prit quelques comprimés mi-dopants, mi-tranquillisants et, avec des gestes de somnambule, prit son bain, se rasa, se changea, etc. Il était arrivé à 3 heures de l'après-midi, heure locale, il était 5 heures, heure toujours locale et il avait l'impression qu'il était minuit, heure sensible. Au lieu de téléphoner à son bureau, il s'assit sur son lit, étant de toute façon incapable de défaire ses bagages, et il attendit. Une heure plus tard, heure qui lui parut le comble de la tristesse et de la solitude, il reçut un coup de téléphone. C'était Sébastien, Eléonore et Bruno qui l'appelaient d'un bar : ils n'avaient pas voulu le déranger plus tôt, afin qu'il puisse se reposer un peu. La bonne volonté a de ces crimes... Il prit l'air gai, enjoué et quand Bruno dit au téléphone (il avait une voix nouvelle, Bruno) « si tu veux, « on » vient te chercher, si tu veux, « on » se retrouve ailleurs, si tu veux, « nous » venons chez toi », il sut illico, d'une manière décisive, que les petits coups au cœur qu'il encaissait avec ces « on » et ces « nous », avec cette absence de « les autres », n'étaient que le prélude d'un énorme et douloureux tam-tam qui ne lui laisserait plus de paix. Les autres, c'était les autres et c'était donc l'enfer. Et lui, c'était lui tout seul, habillé et rasé de près, attendant l'heure de sa convocation, c'est-à-dire de sa condamnation, une heure et demie plus tard. En plus, se disait-il avec dérision, ce n'était vraiment la faute de personne, ni de Bruno dont il savait parfaitement qu'il préférait les femmes, ni de Sébastien qui n'avait jamais pu prendre ce genre d'histoires — c'est-à-dire, la sienne, quoi! — au sérieux, ni d'Eléonore qui capturait qui elle voulait depuis toujours; et qui, s'il lui avait parlé, aurait sans doute aussitôt rejeté Bruno pour le lui rendre. Mais personne ne peut jamais vous rendre personne : il faut *prendre et garder*. Et lui, Robert Bessy, ce bon et brave Robert Bessy, en avait toujours été incapable : en allant vers ces trois fauves insouciants il eut l'impression d'être Daniel marchant vers la fosse aux lions. Seulement Daniel était beau et mince et jeune et les lions s'étaient couchés à ses pieds. Ces lions à lui allaient le bousculer gaiement, gentiment, avec leurs pattes élégantes et pleines de griffes jamais assez limées. Ils allaient, sans s'en rendre compte, le déchiqueter proprement et le renvoyer seul chez lui, dans cet appartement où il n'avait plus à regarder, comme chose vivante, que sa valise. A tout hasard, il mit deux petits cachets supplémentaires dans la poche de son gilet — de ce gilet rassurant

— puis il attendit; en regardant ses pieds, l'extrémité noire de ses chaussures superbes, achetées trente dollars chez Sacks sur la 5e Avenue, mocassins merveilleux dont il avait d'ailleurs ramené une paire identique pour Bruno, il attendit que la nuit tombe et que l'heure du sacrifice arrive.

La ville est vide et je me demande avec une sorte de fascination si un jour les gens vont rentrer. Je sais qu'ils sont tous sur les routes, dans leurs engins divers, roulant vers des plaisirs ou des morts semblables et moi, je me sens assez libre, à l'abri. Je me fais l'effet de cet oiseau qui habite juste en face de chez moi, mon plus proche voisin en somme, et qui a planté sa tente dans un arbre scié ras lequel a, néanmoins, un air horriblement vivant, peut-être même plus vivant que les autres — ceux couverts de feuilles, de bourgeons et de promesses. Lequel arbre étant tout nu, a l'air mutilé et d'ailleurs ne l'est pas. En tout cas, qu'il soit aimé pour cela ou pour des raisons de confort que sait le coucou et que j'ignore, cet arbre est bourré d'oiseaux. Avec une tronçonneuse — je crois que c'est le terme — ils ont au printemps, à mon vif déplaisir, plus auditif, je l'avoue, que sentimental, découpé ce voisin. Car, à Paris, on émonde toujours les arbres à l'aube. Ces ouvriers audacieux, perchés à des hauteurs qui me faisaient trembler autant d'effroi pour eux que de rage pour mon sommeil, sectionnaient ces malheureux marronniers.

Comme pour le rassurer — je parle toujours de mon arbre — les oiseaux ont choisi ses intersections, ses amputations comme autant de refuges. Il est bien plus fréquenté que les autres, les vivants. Tiens, à ce sujet, je me demande où je me réfugierai plus tard. On peut mourir de tellement de manières différentes et il y en a si peu d'élégantes. Bien sûr, il y a les « noces d'acier froissé » dont parle Blondin à propos de Nimier, il y a une vieillesse désuète et tranquille, au coin du feu, dans quelque province avec des petits-enfants plus ou moins ennuyeux qui vous grimpent sur les jambes, il y a le suicide, cette pente dont il ne faut jamais parler, il y a aussi des solutions comiques. Au fond, ce n'est pas par principe, mais par une paresse qui est devenue chez moi un principe en soi, que j'ai toujours refusé de faire partie d'un jury quelconque ou d'avoir ce qu'on appelle des responsabilités dans le monde littéraire. Mais aujourd'hui, perchée sur mon balcon et regardant passer un chien hargneux, un père excédé et un enfant en larmes, je me vois très bien, plus tard, pleine de décorations diverses, siégeant, aimable et toujours un peu confuse au point de vue diction (il y a peu de chance que l'âge arrange les choses) dans un banquet chez Drouant, ou chez Maxim's, je ne suis pas maniaque. J'ai soixante-quatorze ans. Mon quatrième mari vient de mourir bêtement, comme on dit, je suis en noir et mes décorations n'en ressortent que mieux. Je finis juste une petite sole au citron, car mon médecin m'a interdit tout excès. Le petit neveu d'Edgar Schneider ou d'un autre m'interviewe, non sans mal, car un verre de chablis aidant, j'ai légèrement perdu la tête. Je lui explique néanmoins que ce dernier roman primé est admirable et que nous sommes bien contentes, mes copines Duras, Mallet-Joris et moi-même, d'avoir consacré un talent neuf. Là-dessus, je me mets à glapir car je n'ai pas eu ma tarte à la framboise et que l'âge m'a rendue fort gourmande. Benoît IV, mon dernier chauffeur, impassible, me met sur les épaules mon manteau de cigogne de Poméranie (c'est la dernière fourrure à la mode en 2010). Le lauréat, déjà vêtu de Môa, me baise les mains éperdument. Benoît IV m'ouvre la portière de notre aérocar et nous allons nous poser, non sans croiser d'autres aérocars amis, rue Guynemer, sur la terrasse. En effet, depuis quelque temps, le trajet Invalides-Champs-Elysées est devenu, au crottin près, semblable aux Champs-

Elysées de Zola. Lecanuet règne toujours sur la France grâce aux piqûres fort efficaces du Docteur Jekyll (Hyde Park). La Côte d'Azur, pour cause de pollution, est interdite aux estivants à moins de cinq kilomètres du rivage. Ah! j'en ai vu, j'aurai tout vu avant de mourir... J'ai vu des femmes redevenues sauvages brûler les archives de leurs patrons sur la place de la Concorde. J'ai vu des enfants mener leurs parents à la cravache, ne supportant pas chez eux le moindre écart sexuel. « Ah! disaient-ils, attention aux traumatismes! », et les parents heureux, enfin tranquilles, enfin irresponsables puisque matés, suivaient à la trace ces petits gnomes déchaînés dont le principal souci (freudien paraît-il, d'après une nommée Grégoire) était de leur couper toute nourriture. J'ai vu « le sablier de la terre et du ciel se renverser » (cf. Eluard). J'ai vu des plantes vertes pousser à Paris, sans souci. J'ai vu des gens fous d'amour qui acceptaient que leur amour soit unilatéral. J'ai vu des amis donner leurs vestes à leurs amis tout en sachant que ces derniers l'ignoreraient toujours. J'ai vu des fermiers lisant des poèmes, à l'ombre de leurs vaches, allongés, et qui me criaient quand je passais : « Vous savez, la terre est bleue comme une orange! » J'ai vu des poissons ivres de désespoir (généralement des goujons, j'ignore pourquoi) se jeter, les yeux révulsés, sur un hameçon de fer. J'ai vu des hiboux se cacher et refuser des nuits entières d'ouvrir les yeux, tellement ils en avaient leur claque de notre félicité.

19

— Si on prenait un peu de caviar?, dit Robert.
Il était l'un de ces derniers rescapés d'une génération mal nourrie pour qui le mot « caviar » ou le
mot « champagne » avait encore des inflexions de
fête. Malheureusement, Eléonore n'avait jamais aimé
le caviar. Sébastien le supportait mal. Quant à Bruno, depuis qu'il pensait qu'il pourrait se l'offrir longtemps, il n'y accordait plus qu'un intérêt condescen-
dant. Ils étaient tous les trois autour de lui, affectueux et très lointains, comme dans un rêve, et il
essayait de les mettre de son côté, les uns après les
autres, comme font les petits garçons mal aimés dans
les cours de récréation. Bruno d'abord, bien sûr. Bruno superbe, étincelant, plus blond, plus bleu que jamais, comme ces personnages de Proust dont il
n'avait lu que la biographie, et comme si, surtout,
par un phénomène étrange, sa nouvelle passion pour
Eléonore avait renforcé ses couleurs naturelles, les
avait rendues flamboyantes. Car il n'y avait plus à
en douter à présent, il était très amoureux d'Eléonore. Tous ses gestes étaient vis-à-vis d'elle, vers elle,
pour elle, et l'accueil gracieux mais réservé qu'elle
offrait à ses hommages était encore plus inquiétant
pour Robert. Cette attitude, en effet, indiquait qu'elle
n'aimait pas encore Bruno, qu'elle avait pris du re-
tard sur lui dans cette affaire, c'est-à-dire, de l'avance.
Et Robert savait bien, lui qui avait toujours aimé
trop tôt, que ce léger décalage était généralement

irrattrapable. Sébastien faisait ce qu'il pouvait pour comprendre les problèmes de ce pauvre Robert, mais il avait une tendance naturelle à rire et, de toute façon, il y avait mille explications à cette expression paniquée qui envahissait parfois le visage de son ami : le voyage, la fatigue, l'énervement, peut-être même cette affaire d'Eléonore et de Bruno, affaire qu'il savait, lui, sans importance réelle mais qui pourrait devenir plus grave qu'il n'aurait cru. Robert devait quand même bien savoir que Bruno aimait les femmes, qu'Eléonore n'était pas sa première maîtresse, ni la dernière, et que la nonchalance avec laquelle sa sœur traitait ses affaires passionnelles était un gage de sécurité pour l'avenir. Quant à Eléonore, elle s'efforçait, elle (par délicatesse vis-à-vis de Robert), de canaliser, voire d'étouffer les élans de son jeune amant et sa désinvolture était plus accentuée que jamais. Ce qui, naturellement, rendait Bruno encore plus emporté qu'à l'habitude et plus impatient. Il ne savait à quoi attribuer cette demi-indifférence qui, au demeurant, le faisait souffrir, et de plus, ne pouvait imaginer qu'Eléonore connût ses rapports passés avec Robert. Les jeunes gens, même cyniques, ont de ces refus pudiques et qu'ils croient partagés. De plus, ne comprenant pas du tout pourquoi il souffrait de la sorte, il décida que c'était la faute de Robert, élément étranger introduit après quinze jours d'absence dans leur délicieux trio. Ils avaient tous raison et tous se tenaient bien. Seulement, il y avait cet animal crucifié sur la nappe rose, dans ce restaurant, et c'était Robert. Après le caviar refusé, il y eut le caneton aux olives et puis un fromage, également refusé par tout le monde, et puis un sorbet adopté à l'unanimité. Chacun de ces plats et, surtout, chaque intervalle de temps entre ces plats, était un supplice extravagant pour Robert Bessy. A un moment, il attrapa ses petites pilules tranquillisantes (celles qu'il avait eu la précaution de glisser dans son gilet) et il les avala en riant beaucoup et en déclarant que ces menus américains, si sains soient-ils, lui donnaient des brûlures d'estomac. Ils décidèrent d'une boîte où aller prendre un dernier verre et le mot « dernier verre » fit sursauter Robert comme une indécence. Il se surprit, néanmoins, en homme d'affaires maniaque, à ramasser l'addition en vue de ses frais généraux et cela le fit sourire. Quelle facétie incompréhensible! La vie n'avait jamais été pour lui que ça. Sa bonne volonté naturelle, son entrain, ses admirations et, un peu plus tard, ses goûts avaient transformé le temps qu'il avait à vivre en un horrible mélange dont chaque seconde ne pouvait que le blesser. Il était là, les yeux ouverts dans le taxi, parfaitement lucide pour une fois, et ne regardant même plus, ne voyant même plus la main de Bruno crispée dans l'ombre de la voiture sur celle d'Eléonore. L'endroit où ils allaient « s'amuser » était l'Enfer de Dante ou celui de Jérôme Bosch. Et puis, il disait « bonjour, bonjour », il serrait des mains et quand un vieux complice lui désigna Bruno en clignant de l'œil, il sourit gaiement d'un air de connivence comme il l'avait fait trois ans auparavant. La musique, la fumée, l'alcool étaient devenus non plus des vertiges agréables mais des contraintes féroces, inévitables et qui ne pourraient jamais plus freiner sa chute. Une heure passa, qui fut longue. Sébastien somnolant, Eléonore dansant aussi peu que possible mais ce peu était déjà beaucoup, car Bruno la harcelait de questions dès qu'ils étaient seuls. Robert attendait. Il attendait le coup de grâce qui ne devait pas tarder. Quand ils sortirent, assourdis et un peu épuisés, les Van Milhem déclarèrent qu'ils rentraient ensemble, à pied, seuls, et après l'avoir embrassé chaleureusement, ils s'éloignèrent dans la nuit. Bruno, lui, le regard détourné, expliqua précipitamment qu'il avait rendez-vous avec des copains depuis deux jours et qu'il lui téléphonerait plus tard. Resté seul, Robert appela un taxi et il vit, en s'éloignant, sans en tirer la moindre blessure supplémentaire, il vit Bruno qui, ayant contourné l'immeuble, courait comme un fou vers la maison d'Eléonore, vers ce petit appartement que lui, Robert, avait déniché un soir d'août grâce à sa concierge, sans savoir que cet endroit un peu minable s'appellerait désormais, pour lui, le paradis perdu. Que ce fût par fatigue, à cause de ces fuseaux horaires apparemment si meurtriers, ou pour une raison majeure qu'il lui sembla soudain avoir toujours refusé d'entendre, Robert Bessy se tua cette nuit-là. Il avala, sans difficulté d'ailleurs, les pilules restantes et, par hasard, la dose était bonne. Comme on dit dans certains romans policiers, il se buta. Et ce terme d'argot est assez poétique dans la mesure où, ayant lui-même buté sur la vie, il n'avait pu passer par-dessus. Sur les champs de courses souvent, des chevaux superbes et pleins de sang butent sur une haie, ne se redressent pas ou se redressent mal, et le vétérinaire vient achever leur histoire. Robert Bessy n'était ni superbe ni plein de sang et il se passa de vétérinaire.

20

J'ai donc mis mes héros dans la situation la plus infernale, la plus insupportable et la plus odieuse : celle de se sentir responsable d'une mort qu'on n'a d'aucune manière souhaitée et, surtout, qu'on n'a d'aucune manière pressentie. Quand je faisais, au cours de ce livre, l'apologie de l'imagination, c'était bien sûr pour cette raison : le bonheur et le malheur, l'insouciance, la joie de vivre sont des éléments parfaitement sains, auxquels on a parfaitement droit et dont on n'a jamais assez, mais qui rendent aveugles. La situation de mes deux Suédois et de mon petit Français apprenant, à l'aube, la mort par désespoir, par abandon, de leur ami, est une situation parfaitement inextricable. Sébastien était triste et se sentait incompréhensif bien plus qu'il ne l'était vraiment, il se sentait même brutal, car dans ces cas-là, on préfère s'inventer des défauts que reconnaître ses manques. Eléonore se sentait inopportune. Quant à Bruno, le plus concerné, il avait la sauvagerie et la bonne foi de son âge, c'est-à-dire qu'il ne pensait qu'à une chose : les conséquences que la mort de Robert aurait sur ses relations avec les Van Milhem. De cela, je parlerai plus tard, mais il serait bon que les gens qui se suicident et qui ne vous permettent pas de l'ignorer sachent, une fois pour toutes, que ce n'est ni le chagrin, le vrai chagrin, qu'ils entraînent généralement après eux, ni le remords. Et pourtant, c'est leur but, toujours. Ce qu'ils entraînent, c'est une parade, en tout cas un essai de parade désespéré. Et qui fait que les amis concernés, quelle que soit leur réelle affliction, sont beaucoup plus occupés à expliquer aux autres comment ils n'ont pas compris, comment ils n'ont pas pu comprendre : « Tu savais comme elle était », bref, plus occupés à se forger un alibi qu'à les pleurer. J'en ai vu des suicides, Dieu sait, dans ma vie. J'en ai vu des beaux, des propres, des minables, des loupés, des refaits. Je ne crois plus à rien à ce sujet. Il n'est pas vrai que les gens ne recommencent pas après une tentative malchanceuse, si l'on peut dire. Il n'est pas vrai, à mon avis et contre celui des psychiatres, qu'on naisse suicidaire. En revanche, je crois vraiment que si l'on a pris le pli d'attirer l'attention sur soi par ce biais, il n'en existe plus d'autres. Etant donné qu'attirer l'attention sur soi est le but de quatre-vingt-dix-neuf pour cent des êtres humains (et je suis bonne), on pourrait presque faire des statistiques et, dans les cas extrêmes, frénétiques, délimiter très précisément, par une sorte d'IFOP dérisoire, combien ont choisi les somnifères, combien la séduction, combien l'orgueil. Seulement, il y a un vrai cauchemar pour ceux qui restent là, c'est le « si ». Le conditionnel, le temps du conditionnel tel qu'il est conjugué m'a toujours prodigieusement ennuyée. Pour moi, le « si j'avais su », le « si j'avais compris », le « si », bref, a toujours été une chose morte parce qu'imaginée avant d'avoir été vécue, et donc forcément irrecevable. « Si on peut mettre Paris en bouteille » m'a toujours paru le comble de la bêtise, de la dérision et du mépris, parce qu'enfin, si on savait pourquoi on vit, si on savait pourquoi quelqu'un qu'on aime meurt, ou peut-être plus bêtement, si on savait pourquoi quelqu'un qu'on aime ne vous aime plus, on en saurait des choses! L'horreur du suicide chez les amis, c'est que ce « si » que l'on pose une fois de plus est brusquement fixé, en tout cas, repérable dans l'espace et dans le temps : « C'est idiot, j'ai quitté Arthur à 3 heures, il avait l'air très bien.

Si j'avais su que... » « C'est idiot, je l'ai croisé devant
le Flore, il était tout bronzé, il m'a fait un signe de
la main. Si... » Et cette multitude de petits souvenirs
que tout le monde vous rapporte devient une bande
de barracudas bien décidés à vous faire la peau et
les os. Tous ces souvenirs sont situés, donc insup-
portables. Parce qu'enfin, si je lis dans le journal
qu'Arthur est mort dans un accident de voiture
(puisqu'il semble que ce soit le moyen le plus courant de mourir) eh bien, selon mes relations avec
Arthur, je me frappe le front contre les murs, je
téléphone à sa mère, je pleure ou je dis tout bêtement « Pauvre Arthur, il conduisait mal ». Mais si
le même Arthur a décidé que ce n'est pas possible
finalement la vie et donc, d'une certaine façon, la
mienne, puisque je parle d'un ami, si personne n'a
pu l'en empêcher, ni ses amis ni les miens ni moi-
même, et qu'Arthur est mort et glacé quelque part,
j'en arrive à me demander s'il n'avait pas raison
parfois, Arthur, un de nos Arthurs. Ce qu'on met en
miettes en se tuant, ce n'est pas seulement le cœur
des gens, leur tendresse pour vous, le sens de leurs
responsabilités vis-à-vis de vous, c'est aussi leur raison initiale de vivre et qui n'est rien, s'ils y pensent vraiment, sinon un souffle et ce battement au
poignet et parfois, ce regard ébloui devant un jardin,
un être humain ou un projet, si bête soit-il. Ça
jette tout par terre. Les suicidés sont très courageux
et très coupables. J'en ai trop aimé pour les juger
définitivement et d'ailleurs comment pourrais-je juger qui que ce soit? Mais certaines décences, comme
celle d'un accident simulé et bien sûr solitaire, me
paraissent quand même plus humaines, plus gentilles
— le mot est faible et c'est bien pour ça qu'il me
plaît — que cette façon de vous jeter son cadavre
au visage en vous disant : « Tu vois, tu n'as rien
pu empêcher ». Qu'ils me laissent tranquille, à présent, tous mes amis neurasthéniques, qu'ils mettent
du Schumann, du Wagner sur leurs mini-cassettes
dans leurs 2 CV ou dans leurs Ferrari, mais au

nom du Ciel, qu'ils fassent semblant. L'élégance, un peu d'élégance!... Ce n'est pas parce que la vie n'est pas élégante qu'il faut se conduire comme elle. Qu'ils nous épargnent les comprimés, les coups de feu, voire le gaz qui rend si vilain, qu'ils nous épargnent tout cela et qu'ils nous fassent la grâce de nous laisser croire que la vie pour eux était un charme, une beauté, une folie au sens XVIIIe, que c'est vraiment un malheureux hasard si elle leur a été arrachée et que maintenant, à six pieds sous terre, envahis d'herbes, ils nous envient d'être encore là pour en profiter. Il me semble que c'est le moindre des cadeaux qu'on puisse faire aux gens qu'on aime, à ceux qu'on laisse tomber. De toute façon, je ne peux rien dire de sévère à ce sujet parce que, comme chacun, comme chaque chien de cirque que nous sommes, je suis passée à travers les cerceaux enflammés et dorés de cette tentation, comme chacun j'ai eu peur et envie et, comme chacun, j'aurais volontiers multiplié ces cerceaux et ces tremplins à certaines époques. Depuis, il s'est passé quelque chose, ou un léger dégoût de ce procédé ou un léger goût revenu pour moi-même, pour ma vie ou tout bêtement, la peur quand il ne fallait pas ou quand il fallait. Les démêlés des êtres humains avec leur mort volontaire sont les démêlés à la fois les plus élégants et les plus obscènes qui soient. Si j'ai choisi de parler platement de la mort de ce pauvre garçon, c'est parce que j'ai horreur de ce genre de cri sur soi-même, ce cri qui pour lui aurait été sans doute « Bruno », « Maman », ou « mon Dieu » ou « j'ai mal », ou « j'ai soif », ce cri qui fait que la mort n'est jamais triomphante.

Il pleuvait des seaux et, dans cette église sinistre du 16e, essayant de suivre un culte qu'ils ignoraient, étant protestants, les Van Milhem étaient droits, blonds et fatigués, ne sachant pas quand baisser ou lever la tête et d'ailleurs s'en moquant éperdument. Un peu plus loin il y avait Bruno qui ne les avait pas revus. Et puis il y avait cette exquise cohorte qui, à Paris, accompagne toujours, à des titres divers, les mariages, baptêmes et enterrements et qui, si elle le pouvait, suivrait les divorces. Quelques journalistes remontaient la contre-allée en faisant ce qu'ils appellent des flash discrets. Et le curé, qui avait bien compris que le suicide n'était plus une clause d'interdiction à un enterrement chrétien, lisait la messe en français. Il expliquait donc à la foule et aux Van Milhem réunis, dans un langage théâtral que l'on n'oserait plus attribuer à aucune dame professeur de la Comédie-Française, il expliquait donc à tous ces gens abattus qu'ils ne reverraient plus sur cette terre leur ami Robert Bessy, qu'il allait disparaître quelque part dans les nuages mais que, Dieu merci, il y avait quelqu'un ailleurs pour le recueillir, le bercer et s'occuper enfin de son bonheur éternel. Pour quiconque savait que cet être berceur, enthousiaste et tendre avait été et ne pouvait plus être aux yeux de Robert Bessy que ce petit nigaud inconscient de Bruno, l'idée pouvait faire sourire ou pleurer à grandes eaux. Les gens de Paris vont aux enterrements d'une manière à la fois solennelle et grotesque. Ils se donnent rendez-vous avant, déjeunent ensemble et d'une certaine façon, plus émouvante qu'autre chose, se tiennent les coudes, des coudes de vivants. Après quoi, ils font quelques commentaires à voix basse et de manière lugubre sur le ridicule sermon du curé, et puis il y a la minute étonnante, la seule vraie sans doute, où ils voient passer dans un petit carcan de bois celui ou celle qui se crut le Robin des Bois ou la Jeanne d'Arc ou Dieu sait qui, qu'importe, de sa génération. Ce petit carcan, ils savent bien qu'il les attend et qu'un jour, que ce soit à force de fumer, de rouler en voiture ou d'être brusquement vulnérables à l'une des multiples attaques de la vie, ils se retrouveront dedans, horizontaux devant des gens verticaux qui auront plus ou moins chuchoté pendant la messe. C'est le seul instant où l'on voit les visages des gens se défaire : quand le cercueil passe, soit qu'ils aient perdu quelqu'un qu'ils aimaient et qu'ils s'en souviennent, soit qu'ils aient peur pour eux-mêmes. Les Van Milhem n'avaient peur de rien et de toute façon ils avaient perdu quelque chose qui était pour eux irrattrapable : ce cadavre, c'était effectivement le cadavre de leur chance, le cadavre de leur gentillesse, de leur insouciance et pire, de leur noblesse d'âme. Ils avaient laissé, par distraction, se tuer un de leurs amis et quoique n'en ayant jamais parlé entre eux, même sur le coup et le coup avait été dur, il y avait dans leur comportement, pour quelqu'un qui les connaissait bien, mille commentaires plus affreux les uns que les autres. Robert Bessy avait, comme beaucoup de ces morts bien parisiens, un père et une mère en province qui ne ressemblaient pas à grand-chose, sinon aux autres pères et aux autres mères de province et qui se tenaient fort droits. Ils allèrent tous, les impresarii, les producteurs, les cinéastes, les acteurs, les amis, ils allèrent tous saluer ce couple quasiment exotique qui ne comprenait pas que leur fils était pédéraste, isolé, snob, et qu'il s'était tué pour ça. Et même, la mère de Robert Bessy considéra que le plus amical, la meilleure « tête » de l'assemblée était Bruno Raffet. Après quoi, tout le monde sortit sur le parvis. On embarqua rapidement — car les Pompes Funèbres ont ceci de commun avec la Voirie, c'est qu'elles sont fort rapides — on embarqua le carcan de bois et chacun se retrouva sous la pluie battante, cherchant qui sa voiture, car après tout une voiture c'est bien commode même si on est triste (surtout si on est triste) qui, un taxi. C'est alors que, grimpant les marches, Bruno vint, les cheveux trempés, plus beau que jamais, vers les Van Milhem qui semblaient deux oiseaux indifférents, lointains, distraits et, un instant, il eut l'espoir que leur absence de communication avec cette messe affreuse, bref, leur apparente distraction lui laissait

117

toutes les chances. Mais doucement, presque tendre-
ment, alors qu'il levait vers Eléonore un visage épou-
vanté et que, d'une certaine façon, il lui demandait
son aide — je veux dire par là, d'une façon enfantine,
dans le style « je n'ai rien fait, vous savez bien, vous
ne pouvez quand même pas m'en vouloir de vous aimer, de vous avoir aimée » — à ce moment-là donc,
Sébastien le repoussa de la main, comme un huissier,
et lui fit du doigt un signe négatif qui n'était pas du
tout un signe de complicité, mais au contraire, un
signe qui voulait dire qu'il fallait vraiment, là, abandonner. Eléonore ne le regarda même pas. Elle avait
un vieux manchon venu de Dieu sait où, une vieille
toque trempée de pluie et pour une fois les Van
Milhem, leur port de tête exclu, naturellement,
étaient moins élégants que d'habitude. Bruno ne put
jamais les revoir. Il savait très bien que ce n'était
pas de sa faute, ni même qu'ils considéraient, eux,
que ce soit la sienne ni la leur, seulement les Van
Milhem avaient manqué à quelqu'un qui était leur
ami, qui s'était occupé d'eux comme un ami, et il
était hors de question qu'ils se le pardonnent. Ni,
en tout cas, qu' « elle » se le pardonne dans les
bras du bourreau. Même si ce bourreau n'était devenu bourreau que grâce à elle.

21

Avril 1972

Je les ai rencontrés le soir même. Ils s'enivraient délibérément et moi aussi. Ils avaient l'air assez blessés et je l'étais aussi. J'ignorais leur histoire mais je connaissais trop la mienne. Je me mis à leur parler d'une maison en Normandie qui était ventée, cernée d'arbres, avec des chiens et des chats — je veux dire par là, un chien et un chat car on ne doit pas avoir *des* chiens et *des* chats : ça correspond à un refus de la jalousie animale, refus que je réprouve. Je leur parlais donc de cette maison. Je leur dis que le vent y faisait battre les volets comme des fous, que quelquefois, le jour, il faisait beau, que la mer était proche et qu'enfin c'était un refuge parfait ou qu'il pouvait l'être. Nous décidâmes d'une date relativement abstraite et je fus très étonnée qu'ils me téléphonent la veille de mon départ, toujours d'accord. Entre-temps j'avais appris leur histoire, tout au moins l'histoire de Robert Bessy. Je savais les coups de téléphone incessants et vains de Bruno Raffet, je connaissais les jugements des gens sur eux, sur ce que les gens appelaient leur « morgue » et tout cela me plaisait assez. Nous partîmes donc dans une Mercedes louée avec des bagages qui semblaient à peu près aussi hagards que leurs propriétaires, et nous prîmes la route de Normandie. Les discussions furent brèves dans cette voiture. Le plus bavard et le plus gai, pour des raisons que j'ignore et que je n'eus pas le temps de découvrir, était le chauffeur. Il semblait que nous recherchions tous un monde de politesse et de gentillesse élémentaire. Il semblait que chacun de nous ait besoin de sparadrap partout. La maison leur plut. C'est une grande maison et le vent, effectivement, y souffle beaucoup. Et elle n'est pas très soignée, ce qui permet à tout le monde de mettre les pieds sur les divans. Le premier soir, ce fut drôle. Nous nous reconnûmes, naturellement. Nous aurions pu interchanger chacun de nos gestes et chacune de nos paroles et de ce fait, nous nous parlions très poliment et nous nous évitions presque. L'alcool était devenu un liniment, la musique un « fond d'ambiance » comme on dit. Quant au chien, pataud et tendre, les yeux braqués sur nous, gêné d'ailleurs par ces trois humains qui auraient dû être dictatoriaux et qui n'étaient que fatigués, il semblait le seul vivant d'entre nous. Ma cicatrice à moi étant moins grave, je décidais pendant cette soirée embuée de politesse et de précautions réciproques, je décidais d'essayer de les aider. « Demain, je leur donnerais tout, me disais-je, je leur donnerais l'herbe, cette fameuse herbe, je leur donnerais une chèvre sans oreilles qui ferait sûrement rire Eléonore, je leur donnerais une forme de calme, une forme de refus, de colère et d'indignation, je leur donnerais même mes propres colères, mes propres indignations, mes propres refus, je leur donnerais tout ce que j'avais pu faire ou être dans l'espace de trente-sept ans, je leur donnerais même, si j'y parvenais, j'essayerais de leur donner un moyen de se réconcilier avec eux-mêmes en même temps que j'essayerais, moi, d'en faire autant. » Mais demain, c'était demain et je crois que la nuit fut longue dans ces chambres éloignées, pour chacun de nous.

Après il plut sans cesse. Sébastien et moi, nous sentant trop faibles, avions pris l'habitude de dormir ensemble avec ou sans bonnes raisons. En tout cas, nous passions nos journées aux genoux d'Eléonore toujours plongée dans ses romans policiers, élégante, oh combien, près de nous si sales, si désemparés, humains. De temps en temps, elle passait ses belles et longues mains dans nos cheveux, en comparant la texture, la douceur, et nous devenions ainsi, lui son frère et moi l'inconnue, nous devenions rivaux pour rire, et encore plus tendres. Nous n'écoutions que des opéras : *La Bohème, La Tosca, La Traviata* et la voix sublime de ces chanteurs alliée à la simplicité de leurs problèmes sentimentaux nous perçait le cœur. L'allée d'arbres ruisselait tellement de pluie que le chien préférait encore jouer avec nous, à l'intérieur, qu'avec ses bouts de bois dehors. Le feu ronronnait, invitant de part et d'autre à des confidences que nous ne nous fîmes jamais. Cela aurait pu être la vie, bien sûr, une vie bizarre mais réelle parce qu'en aucune façon astreignante, et lorsque la main longue d'Eléonore traînait sur ma joue tandis que la tête de Sébastien qui chantonnait « *Me llamame Mimi* » reposait sur mon épaule, oui, cela ressemblait à quelque chose. Quelque chose de discret, de tendre, de fichu au départ. On devrait faire, comme pour les Indiens, des réserves pour les cœurs purs. Ma maison de campagne n'en était pas si loin, car j'y veillais aussi méticuleusement que mon chien trop tendre et mon chat trop attentif. Puis, il y eut Stockholm. Un télégramme de Stockholm. Je me souviens de cet après-midi-là, j'étais comme d'habitude entre les genoux d'Eléonore et de Sébastien, allongée sur le tapis, riant avec eux parce que, malgré tout le rire nous avait repris dans ses pièges et j'entendis les Postes arriver. Le télégramme disait que Hugo était enfin libéré et que le seul homme qui n'ait jamais douté d'Eléonore, ni de son amour, même une minute, attendait à l'aéroport de Stockholm qu'elle lui revienne. Elle se leva et je la comprenais, je la compris très vite de vouloir retrouver cet homme qui se trompait sur elle, de vouloir retrouver cette interminable erreur et cette rassurante folie. Car enfin pour une femme aussi épuisée qu'elle, et je voyais bien à ses yeux, à ses gestes qu'elle n'en pouvait plus, d'une certaine façon, de ce Paris de pacotilles 72 que son frère essayait de faire briller pour elle, je voyais bien que c'était la limite. A ce télégramme, elle respira, ils respirèrent. A eux les rivières tranquilles de la Suède, à eux ce Hugo si généreux dans sa bêtise, à eux des mondes que je n'avais pu connaître. Néanmoins la dernière soirée fut pénible. Nous étions tous les trois dans ce petit salon, le chat sur les genoux d'Eléonore, le chien allongé, respirant encore Dieu sait quelles odeurs de chasse mais respirant fort entre Sébastien et moi. Et puis, la fatigue tomba, l'énervement, et nous nous dîmes « au revoir, à demain » sachant que ce demain serait une espèce d'adieu bouleversé par le temps, l'urgence, la nécessité, car le train était à midi et quart et que nous n'étions pas des gens bien réveillés à midi et quart. En effet, le trajet fut un peu douloureux — de ma maison jusqu'à la gare de Deauville. Quand je dis douloureux, je veux dire silencieux. Nous avions cinq minutes à perdre et nous les perdîmes le nez dans le cou les uns des autres. Je ne savais plus de qui il s'agissait et eux non plus. Et puis ce train stupide commença à souffler et à fumer, à faire des bruits de train. Et brusquement, je retrouvais accrochés à ce qu'on appelle une rampe ces deux visages à la fois très lointains, mais si tendres que je savais que je n'en reverrais plus jamais de pareils. Je levais la main. Il pleuvait des seaux, mais ni l'un ni l'autre ne me priait de partir et je dis d'une voix légèrement éteinte, je crois, « au revoir, au revoir ». Eléonore Van Milhem se pencha (et toute la campagne normande oscilla avec elle dans la vitre) et elle me dit « non, pas au revoir, adieu » d'un ton si doux et si définitif que j'aurais pu le prendre mal si je n'avais pas su. Il avait fait très froid à Deauville au printemps, cette année-là. Néanmoins, quand je sortis de la gare, seule et légèrement écœurée de l'être, il faisait beau grâce à ces tourmentes heureuses que connaissent les ciels de Normandie et, en cherchant la voiture, je reçus un rayon de soleil, irrémédiable, sur le visage et je sus qu'Eléonore avait raison et que c'était la dernière fois que je revoyais, de face, les Van Milhem, et peut-être bien moi-même.

Littérature

Cette collection est d'abord marquée par sa diversité : classiques, grands romans contemporains ou même des livres d'auteurs réputés plus difficiles, comme Borges, Soupault, Goes. En fait, c'est tout le roman qui est proposé ici, Henri Troyat, Bernard Clavel, Guy des Cars, Alain Robbe-Grillet, mais aussi des écrivains tels que Moravia, Colleen McCullough ou Konsalik.

Les classiques tels que Stendhal, Maupassant, Flaubert, Zola, Balzac, etc. sont publiés en texte intégral au prix le plus bas de toute l'édition. Chaque volume est complété par un cahier photos illustrant la biographie de l'auteur.

Impression Brodard et Taupin à La Flèche (Sarthe)
le 20 septembre 1987
6800-5 Dépôt légal septembre 1987. ISBN 2-277-11553-3
1er dépôt légal dans la collection : septembre 1974
Imprimé en France

Editions J'ai lu
27, rue Cassette, 75006 Paris
diffusion France et étranger : Flammarion

553
★